스페인 왕의 오솔길

글 · 사진 | 조대현

CONTENTS

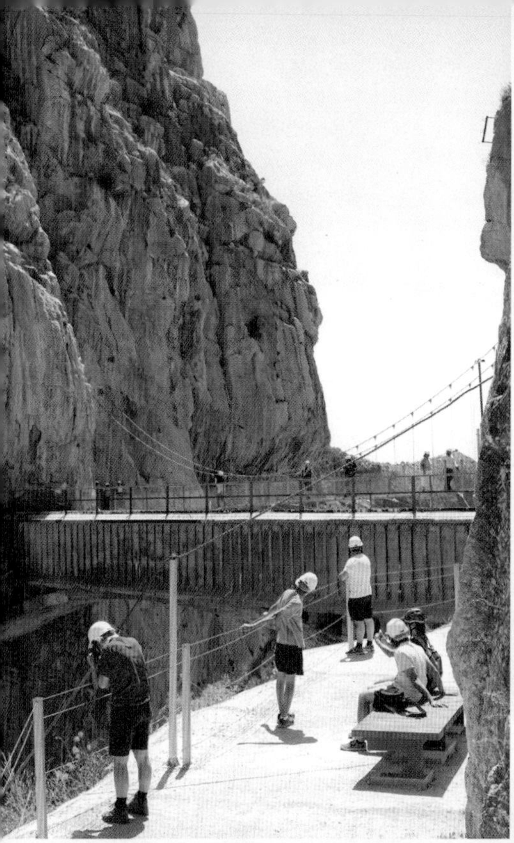

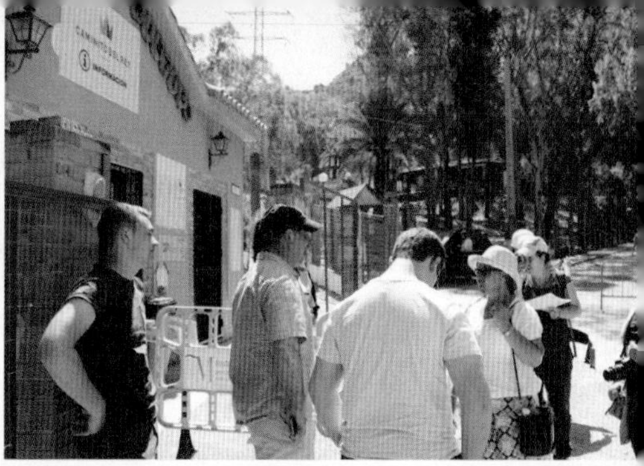

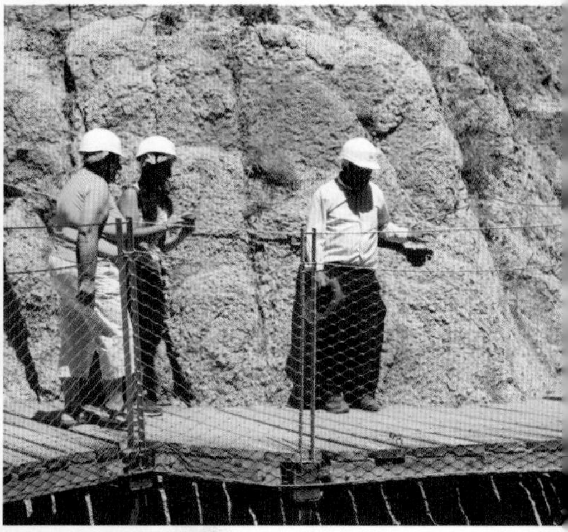

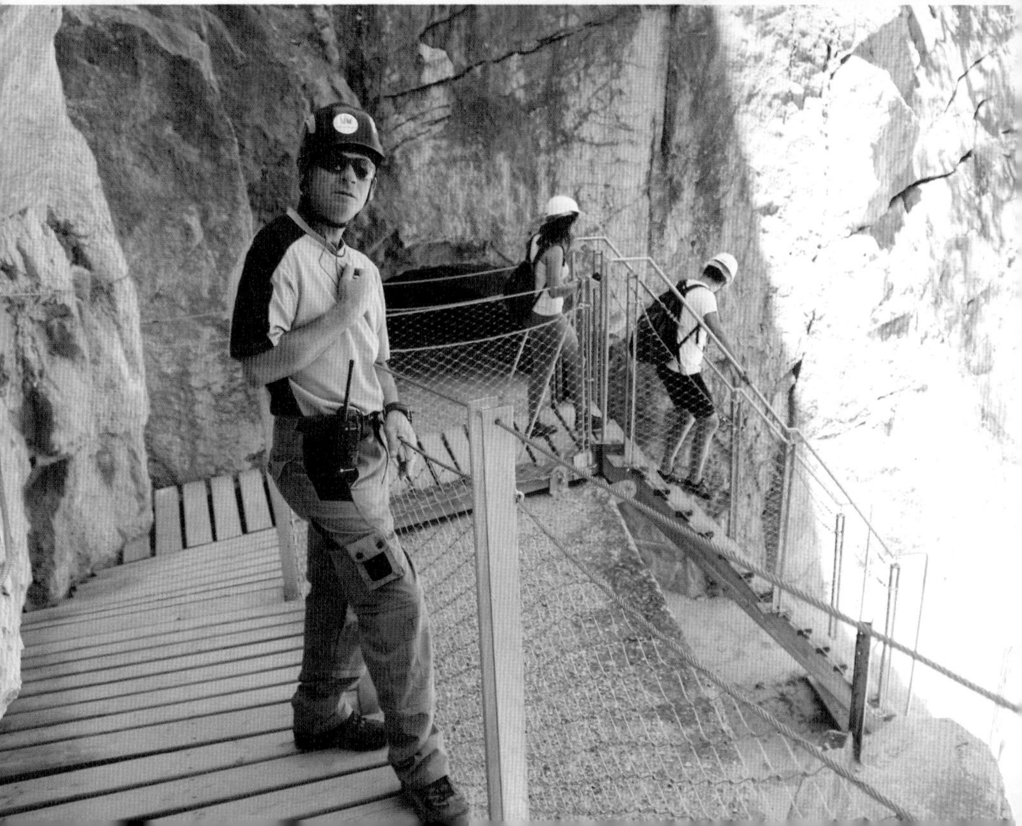

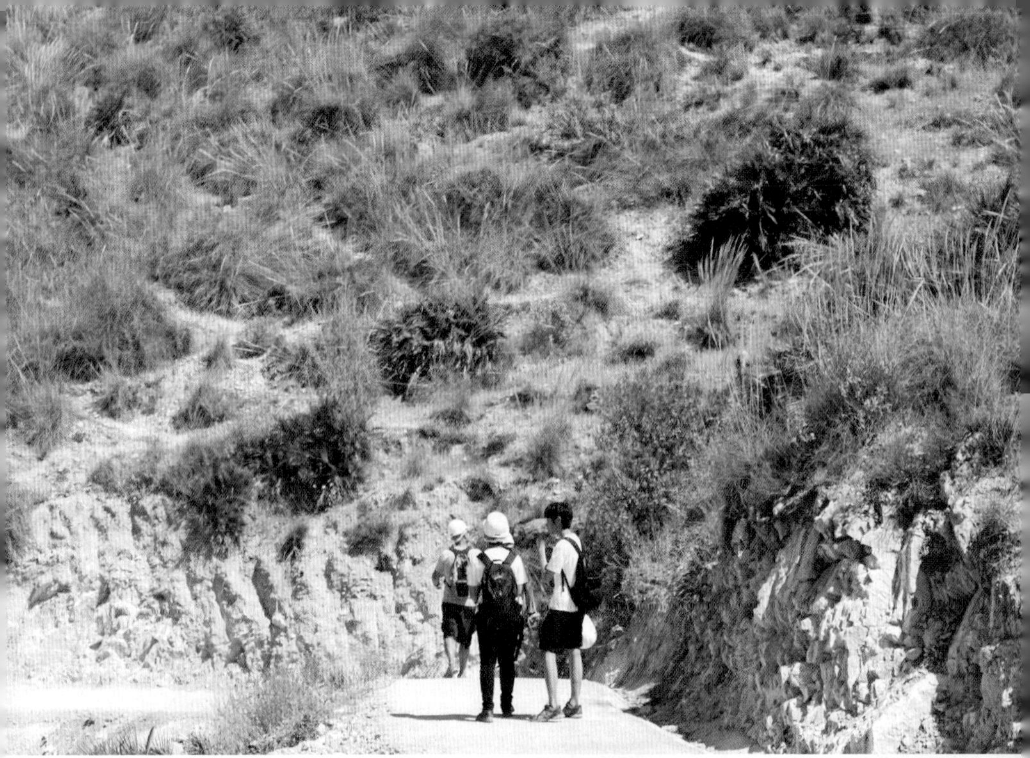
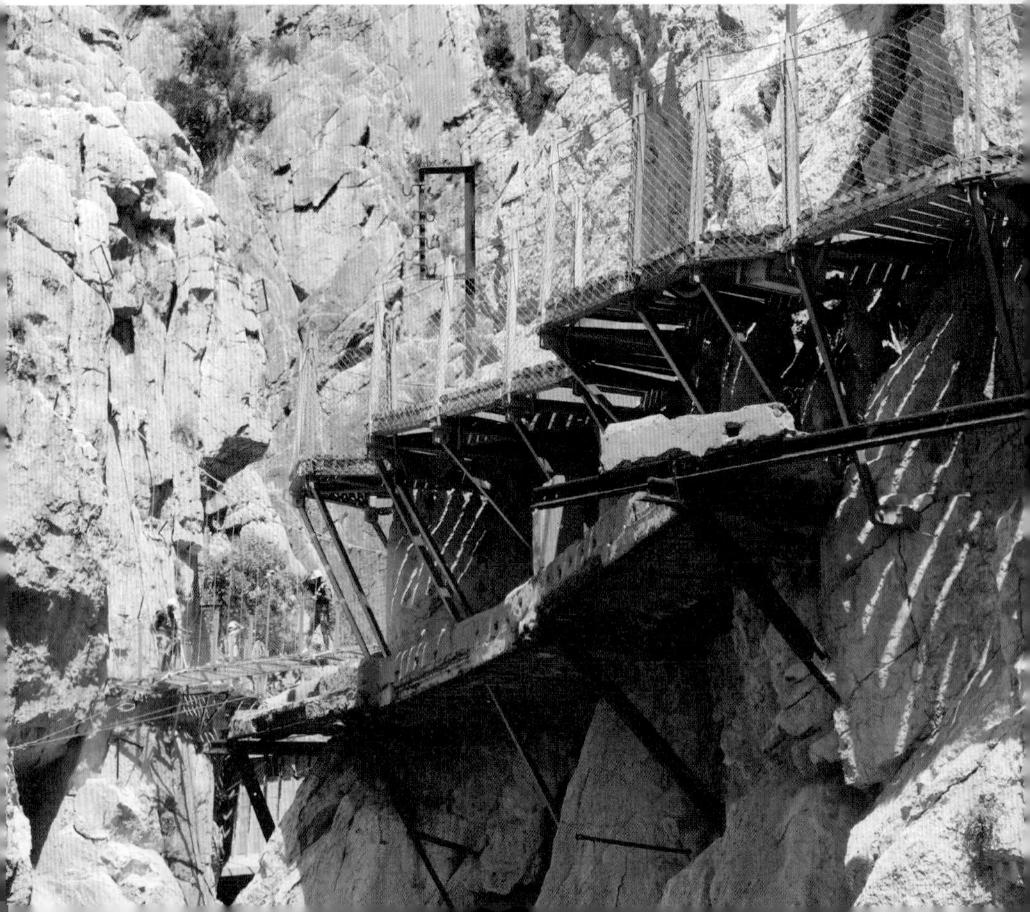

머리말

세상에서 가장 위험한 길. '왕의 오솔길'에 대한 호기심은 tvN <강용석의 고소한 19>를 본 후부터 시작되었다. '도대체 얼마나 위험하기에 세상에서 가장 위험한 길일까? 얼마나 아름답기에 사람들은 위험을 무릅쓰고 가는 것일까?' 하는 호기심으로 왕의 오솔길에 대한 자료를 모으기 시작했다.

최근 '왕의 오솔길'은 새롭게 보수하여 일반인에게 재개장했다. 왕의 오솔길은 휴식이나 관광을 목적으로 하는 여행과 다르게 도전하고 모험을 하는 여행코스이다. 이런 왕의 오솔길을 오르려는 사람들의 수가 계속해서 증가하면서 이곳에 대한 정보를 찾는 사람들 또한 늘고 있다. 하지만 현재까지 왕의 오솔길에 대한 정보를 제공한 책은 없었다.

위험하다는 고정관념, 왕의 오솔길을 걸을 수 있을까 하는 두려움을 가진 이들도 많다. 물론 고소공포증이 있어 평소 높고 무서운 곳을 싫어하는 경우에는 더욱 두렵고 무서울 것이다. 왕의 오솔길은 위험하지 않다 하더라도 실제로 눈앞에서 마주하면 다리의 힘이 풀리는 것을 경험하게 된다. 그럼에도 많은 이가 이곳을 찾는 것은 짜릿한 즐거움과 감동을 받을 수 있는 곳이기 때문이다. 곳곳에 안전요원이 있고, 위험하지 않도록 보수되어 있어 하지 말라는 행동만 하지 않는다면 걱정하는 일은 일어나지 않는다.

이 책에는 생생한 현장의 감동과 짜릿함이 담겨 있다. 또한 말라가와 론다 등 스페인의 소도시 정보도 함께 담아 왕의 오솔길과 더불어 여행할 만한 곳을 소개하고 있다.

부디 이 책을 통해 독자들이 즐거운 여행을 할 수 있길 바란다.

Caminito del Rey
왕의 오솔길

Caminito del Rey
왕의 오솔길

01. 여행 준비

먼저 왕의 오솔길 여행을 위한 밑그림을 그리자. 왕의 오솔길에 대해 알고 있는 것을 적어보고 여행 준비를 어떻게 할지 생각해보자. 아래 표는 여행의 밑그림을 쉽게 그릴 수 있도록 정리한 것이다.
무엇보다 욕심을 버리고 준비하는 게 좋다. 왕의 오솔길에서 평생 잊지 못할 경험과 추억을 만드는 것이 여행의 핵심 포인트이다.

〈여행 준비 순서〉

1 말라가로 어떻게 이동할 것인가?
(이동방법 결정)

2 나의 가능한 여행기간, 비용은?
(여행 기간 & 예산 짜기)

3 항공권부터 알아보자!
(항공권 /성수기 여행은 빨리 구입)

4 필요한 서류는?
(여권 등 필요 서류 만들기)

5 꼭 보고, 먹고, 갈 곳은?
(여행지 정보 수집)

6 꼼꼼한 일정은 필수!
(여행 일정 짜기)

7 하루에 얼마나 쓸까?
(하루 경비 예상하기)

8 어디에서 자야 할까?
(숙소 예약)

9 달러? 유로? 무엇으로 바꾸지?
(환전하기)

10 왜 이리 필요한 게 많지?
(여행 가방 싸기)

11 공항으로 이동

12 드디어 여행지로 출발!

Point 꼭 알아야 할 여행 Q & A

왕의 오솔길을 걸을 때 체력적으로 문제가 생기지 않을까?

왕의 오솔길은 반나절이면 걸을 수 있다. 걸으면서 체력적으로 문제가 생길 일은 없다. 다만, 무리하여 걷다 보면 자칫 발에 물집이 잡힐 수는 있다. 이 때문에 걷기를 중단해야 하는 사태가 벌어지기도 한다. 따라서 피부 마찰을 줄이는 방법과 물집이 잡혔을 때 대처법(바셀린, 풋크림, 스타킹 활용)을 사전에 숙지하고 가자.

걷기 전날, 바셀린이나 풋크림을 바른 뒤 양말을 신고 자면 다음 날 발바닥에 코팅막이 형성되어 오래 걸어도 물집이 잘 잡히지 않는다. 여러 방법을 사용해봤지만 이것만큼 좋은 것은 없었다. 이 방법은 실제로 걷는 일이 많은 군대에서 즐겨 사용한다.

발에 물집이 잡혔다면 어떻게 해야 할까?

물집이 잡혔을 때, 많은 이가 일단 무조건 터뜨려야 한다고 생각한다. 그러나 심하지 않고 이제 막 물집이 잡히기 시작한 초기 상태라면 그냥 놔두는 것이 좋다. 어설프게 터뜨렸다가 더 심해질 수도 있기 때문이다. 우선 반창고를 붙여 양말과의 마찰을 최대한 줄여줘야 한다.

다만, 심하게 물집이 잡혔을 때는 바늘에 실을 꿰어 물집 잡힌 살갗을 통과시킨 뒤 실만 그대로 방치해두는 것이 최선책이다. 이렇게 하면 실을 따라 물집 속 물이 다 흘러나와 이틀 정도면 살갗이 붙는다. 이 방법을 사용할 때는 바늘을 라이터로 지져 소독하고 실 또한 소독된 것을 사용해야 한다.

02. 일정, 따라만 하면 OK!

왕의 오솔길 여행을 결정했다면 먼저 언제, 어디로, 어떻게, 얼마 동안 갈 것인지 생각해야 한다. 또한 일정을 계획할 때는 이동시간을 고려해야 한다. 왕의 오솔길 여행이 처음인 경우에는 추천 일정을 참고하여 여행하는 것이 좋다.

일정별로 요약한 여행의 준비과정을 알아보자. 여행을 준비하는 사람들이 가장 많이 하는 질문 중 하나가 여행 준비를 언제부터 하는 것이 좋으냐는 것이다. 왕의 오솔길의 경우 일주일 일정으로 왕의 오솔길, 말라가, 론다, 마드리드를 함께 여행하는 것이 좋다. 이 경우라면 출발하기 최소 2개월 전부터 여행 준비를 해야 한다.

2개월 전 : 항공권 구매

출발하기 2개월 전부터 여행 준비를 시작하는 게 좋다. 왕의 오솔길 여행은 보통 여름에 많이 가는데, 개인적으로는 4~5월도 추천한다. 아직까지는 여행자가 많이 방문하는 곳이 아니기 때문에 여행의 의미를 차분히 되새길 수 있다.

가장 먼저 내가 원하는 날짜에, 원하는 기간에 맞춰 떠나고자 한다면 적어도 2개월 전에는 항공권을 알아봐야 한다. 그래야 저렴한 항공권을 구매할 수 있다. 항공권은 여행 경비를 줄이는 데 큰 역할을 하기 때문에 미리 구입하는 것이 좋다. 다른 여행 경비를 아무리 아껴도 항공권 가격만큼 아끼기가 힘들다.

40일 전 : 여행 루트와 일정 만들기

항공권 구매로 출발 날짜와 기간이 정해지면 상상여행을 떠나보자. 하고 싶은 버킷 리스트를 적어보고, 블로그, 여행 서적 등을 통해 여행지에 대한 정보를 수집하자. 이런 과정을 거치면 여행에 대한 설렘이 극대화된다.

이 책에 나오는 정보만 잘 숙지해도 좋지만 해당 여행지에 대한 간단한 역사와 용어는 알고 가는 게 좋다. 모르고 간다면 그저 사진만 찍고 돌아오기 십상이다. 훗날 다녀온 장소조차 기억나지 않을 수도 있다. 여행이란 모름지기 아는 만큼 느끼게 되고, 느낀 만큼 감동받게 마련이다.

처음 가는 여행은 대부분 여행 루트가 비슷하다. 여기에 나온 여행 루트를 참고해 일정을 쉽게 만들어보자.

1개월 전 : 서류 준비(일정도 다시 점검)

1개월 전, 이제 본격적인 여행 준비를 시작해야 한다. 준비해야 할 것으로 여권, 대학생이라면 국제학생증이 필요하다.

15일 전 : 여행 루트, 일정, 환전 및 경비 재확인

15일 전부터는 실전 상황이 펼쳐진다. 여행 루트와 일정을 다시 점검해서 변경사항은 빨리 결정하고 여행 경비도 확인해봐야 한다. 의외로 루트와 일정을 빠듯하게 계획해서 문제가 생기는 경우가 많으니 꼭 재점검 하자.

하루 경비는 대체로 4~5만 원이면 된다. 환전은 미리 해두는 것이 좋으며, 은행 환전 쿠폰을 적극 활용하면 환전 비용을 많이 줄일 수 있다.

그뿐만 아니라 미흡한 정보가 있다면 다시 확인하고, 주변에 왕의 오솔길을 다녀온 이들의 경험을 통해 현지의 여행 정보를 되도록 많이 알아두자. 여행지에서 실제로 경험한 이야기가 많은 도움이 된다.

10일 전 : 여행 물품 구입

이제 여행 느낌이 오기 시작한다. 이 시기에는 여행에 필요한 물품 리스트를 보면서 꼼꼼히 확인한다. 새로 구입하기보다는 가지고 있던 기존 물품을 활용한다. 꼭 필요한 것만 구입 하자. 배낭이 가벼워야 길을 걸을 때 편하다.

출발 1일 전 : 여권 등 여행 준비물 확인

출발 전날, 공항까지의 교통편을 미리 확인해둔다. 또한 마드리드 숙소까지의 위치 및 교통편 정보를 미리 스마트폰에 저장해두다. 여권, 항공권, 환전한 경비 등 여행 준비물을 한 번 더 확인한다.

출발 당일 : 미리 공항에 도착하기

출발 당일에는 여행 물품 리스트를 보면서 여권과 물품을 확인한다. 비행기 출발 2시간 30분~2시간 전까지는 공항에 도착해야 한다. 같이 가는 일행이 있다면 더더욱 시간을 잘 지키자. 처음부터 싸우는 빌미가 될 수도 있기 때문이다. 공항에 도착하면 여권, 여행 물품, 경비를 최종 확인한다.

03. 항공권, 싼값에 구입하기

해외여행 경비에서 가장 많이 지출되는 것은 항공 요금이다. 항공 요금만 아껴도 여행 경비를 100만 원까지 줄일 수 있다. 한 푼이 아쉬운 여행자라면 좀 더 일찍, 조금 더 꼼꼼히 항공권 정보를 부지런히 챙겨야 한다. 그래야 저렴한 항공권을 구할 수 있다.

항공권의 기본 상식

어떻게 하면 항공권을 싸게 구할 수 있을까? 누구나 목적지까지 바로 가는 편안한 항공권을 원하지만, 이런 항공권은 인기가 있는 만큼 결코 저렴하지 않다. 반면, 다른 곳을 경유하거나, 불편하고, 이런저런 까다로운 조건이 많이 붙는 항공권일수록 싸다. 이러한 기본 속성을 바탕으로 지금부터 항공권을 알아보자.

▶직항과 경유

당연히 특별한 이유가 없다면 직항보다 경유하는 항공편이 더 저렴하다. 경유 항공권은 시간이 좀 더 걸리고 경유지에서 비행기를 갈아타야 하는 단점이 있다. 그런 만큼 가격은 훨씬 저렴한데, '스톱오버'라 하여 홍콩, 상해 등 아시아와 유럽을 동시에 다녀올 수 있는 장점도 있다.

▶등급(클래스)

비행기 좌석은 퍼스트, 비즈니스, 이코노미 3등급으로 나뉜다. 이코노미 클래스가 가장 저렴하며 여행자 대부분이 이용하고 있다. 같은 이코노미 클래스라도 조건에 따라 가격

차이가 많이 난다. 먼저 티켓의 유효기간이 짧을수록 가격이 저렴하다. 보통 가장 짧은 것은 7~14일 정도이고 1개월, 3개월, 6개월, 1년 등으로 늘어날수록 가격도 올라간다.

▶추가 확인 사항

리턴 변경 가능 여부, 마일리지 적립 여부, 연령대 등이 대표적인 부가 조건이다. 리턴 날짜를 고정하고, 마일리지 적립이 안 되고, 낮은 연령대일수록 상대적으로 저렴한 항공권을 구할 수 있다. 스페인행 항공권은 다른 유럽 국가보다 항공권이 비싼 편인데, 대한항공이 아니라면 거의 다 해외 항공사를 이용해야 한다.

위와 같은 조건은 인터넷 구매 시 비고 항목이나 전화 상담을 통해 확인할 수 있다. 하지만 제일 싼 티켓이 제일 좋은 것은 아니므로, 비고 항목을 반드시 확인하자. 또 발권 후 취소가 안 되는 티켓들도 있으니 꼼꼼하게 잘 확인해야 한다.

04. 여행 경비 산출하기

여행을 떠나는 목적은 분주하고 힘든 일상으로부터 탈피하여 길에서 감동을 얻고, 그 힐링의 힘으로 다시 돌아와 열심히 사는 데 있다. 그런 만큼 뜻깊은 여행을 위해서는 여행 경비를 잘 관리해야 한다. 여행을 하는 동안 경비가 들어갈 곳을 정확히 알아야 한다. 그래야 무조건 저렴한 것만을 찾지 않아도 되고, 경비를 더 지출하는 부작용을 막을 수 있다. 요컨대 줄일 건 줄이고 쓸 데 쓰는 경비 운용으로 효율적인 여행을 해야 한다.

여행 준비에 드는 경비
여행을 계획하고 실행에 옮길 때 가장 많은 경비가 들어가는 부분은 항공권과 숙소 비용이다. 유럽이라면 기차나 버스의 이용 경비도 많이 들어간다. 여권, 여행자보험 등의 비용도 여행 경비로 잡는다.

항 목	내 용	경 비
항공권	지역, 항공사, 조건, 시기에 따라 다양한 가격으로 나온다. 일찍 예약하면 싸게 항공권을 구입할 수 있다. 아시아라면 저가항공을 잘 활용하자.	약 150~180만 원
숙소	숙소는 미리 예약하는 것보다 현지에서 눈으로 직접 확인하고 결정한다. 단, 호텔의 경우는 미리 호텔 예약사이트에서 예약할 수 있다.	호텔은 90,000~180,000원
렌페, 알사버스	스페인의 국철인 렌페로 이동할 경우에는 마드리드에서 말라가까지 구간권을 이용한다. 알사버스를 이용하면 비용을 절약할 수 있다.	기차 : 20~29만 원
여권	일반인은 일반여권, 군 미필자는 단수여권	55,000원(일반여권)
여행자보험	기간과 조건에 따라 다양하다(여행자보험 참조).	약 10,000~45,000원
TOTAL	약 200~250만 원	

여행 중에 드는 경비
여행지에서는 개인의 씀씀이에 따라 경비 차이가 클 수 있다. 유럽 여행자는 일반적으로 하루에 약 5~7만 원의 경비를 사용한다. 따라서 자신이 하루에 사용할 경비를 미리 준비해두고 사용하는 것이 좋다.

05. 공항 도착부터 출국 수속까지

① 공항 도착
출발 2시간~2시간 30분 전에는 도착한다.

② 카운터로 이동
해당 항공사의 카운터를 미리 확인하고 이동한다.

③ 카운터 도착, 체크인 시작
줄을 서서 차례를 기다린 후 자신의 차례에 탑승 체크인을 시작한다.

④ 여권과 항공권 제시
좌석 선택, 짐 부치기, 보딩패스 받기

⑤ 보안검색
보안검색은 액체류를 반드시 미리 확인해야하며 주머니에서 동전까지 다 내놓아야 한다. 바지 벨트도 검색대를 통과시켜야 한다.

⑥ 탑승동으로 이동
외국 항공사는 1층으로 이동하여 열차를 타고 다른 탑승동으로 이동하기 때문에 시간이 부족할 수 있으니 면세점에 들르지 말고 우선 이동한다. 이동한 탑승동에도 면세점은 있다.

⑦ 출발 게이트로 이동
면세점 쇼핑후 출발 시간 30분 전까지 출발게이트에 도착하자. 진에어는 출발 게이트가 멀어서 위치를 확인하고 쇼핑을 해야 늦지 않는다.

⑧ 보딩패스 준비 및 탑승
출발 시각 30분 전 정도에 탑승을 시작한다. 사전에 보딩패스를 준비하고 자신의 자리를 확인하자.

06. 여권 분실 및 소지품 도난 시 해결 방법

여행에서 도난이나 분실과 같은 어려움에 봉착하면 당황스러워지게 마련이다. 여행의 즐거움은 커녕 여행을 끝내고 집으로 돌아가고 싶은 생각만 든다. 따라서 생각지 못한 도난이나 분실의 우려에 미리 조심해야 한다. 방심하면 지갑, 가방, 카메라 등이 없어지기도 하고 최악의 경우 여권이 없어지기도 한다.

이때 당황하지 않고, 대처해야 여행이 중단되는 일이 없다. 해외에서 분실 및 도난 시 어떻게 해야 할지를 미리 알고 간다면 여행을 잘 마무리할 수 있다. 너무 어렵게 생각하지 말고 해결방법을 알아보자.

여권 분실 시 해결 방법

여권은 외국에서 신분을 증명하는 신분증이다. 그래서 여권을 분실하면 다른 나라로 이동할 수 없을뿐더러 비행기를 탈 수도 없다. 여권을 잃어버렸다고 당황하지 말자. 절차에 따라 여권을 재발급받으면 된다. 먼저 여행 중에 분실을 대비하여 여권 복사본과 여권용 사진 2장을 준비물로 꼭 챙기자.

여권을 분실했을 때에는 가까운 경찰서로 가서 폴리스 리포트(Police Report)를 발급받은 후 대사관 여권과에서 여권을 재발급 받으면 된다. 이때 여권용 사진과 폴리스 리포트, 여권 사본을 제시해야 한다.

재발급은 보통 1~2일 정도 걸린다. 다음 날 다른 나라로 이동해야 하면 계속 부탁해서 여권을 받아야 한다. 부탁하면 대부분 도와준다. 나 역시 여권을 잃어버려서 사정을 이야기했더니, 특별히 해준다며 반나절만에 여권을 재발급해 주었다. 절실함을 보여주고 화내지 말고 이야기하자. 보통 여권을 분실하면 화부터 내고 어떻게 하냐는 푸념을 하는데 그런다고 해결되지 않는다.

여권 재발급 순서

1. 경찰서에 가서 폴리스 리포트 쓰기
2. 대사관 위치 확인하고 이동하기
3. 대사관에서 여권 신청서 쓰기
4. 여권 신청서 제출한 후 재발급 기다리기

여권을 신청할 때 신청서와 제출 서류를 꼭 확인하여 누락된 서류가 없는지 재차 확인하자. 여권을 재발급받는 사람들은 다 절박하기 때문에 앞에서 조금이라도 시간을 지체하면 뒤에서 짜증내는 경우가 많다. 여권 재발급은 하루 정도 소요되며, 주말이 끼어 있는 경우는 주말 이후에 재발급받을 수 있다.

소지품 도난 시 해결 방법

해외여행을 떠나는 여행객이 늘면서 도난사고도 제법 많이 발생하고 있다. 이러한 경우를 대비하여 반드시 필요한 것이 여행자보험에 가입하는 것이다. 여행자보험에 가입한 경우 도난 시 대처 요령만 잘 따라준다면 보상받을 수 있다.

먼저 짐이나 지갑 등을 도난당했다면 가장 가까운 경찰서를 찾아가 폴리스 리포트를 써야 한다. 신분증을 요구하는 경찰서도 있으니 여권이나 여권 사본을 챙기고, 영어권이 아닌 지역이라면 영어로 된 폴리스 리포트를 요청하자. 폴리스 리포트에는 이름과 여권번호 등 개인정보와 물품을 도난당한 시간과 장소, 사고 이유, 도난 품목과 가격 등을 자세히 기입해야 한다. 폴리스 리포트를 작성하는 데에는 약 1시간 이상이 소요된다.

폴리스 리포트를 쓸 때 도난(stolen)인지 단순분실(lost)인지를 물어보는데, 이때 가장 조심해야 한다. 왜냐하면 대부분은 도난이기 때문에 'stolen'이라고 경찰관에게 알려줘야 한다. 단순 분실의 경우 본인 과실이기 때문에 여행자보험을 가입했어도 보상받지 못한다. 또한 잃어버린 도시에서 경찰서를 가지 못해 폴리스 리포트를 작성하지

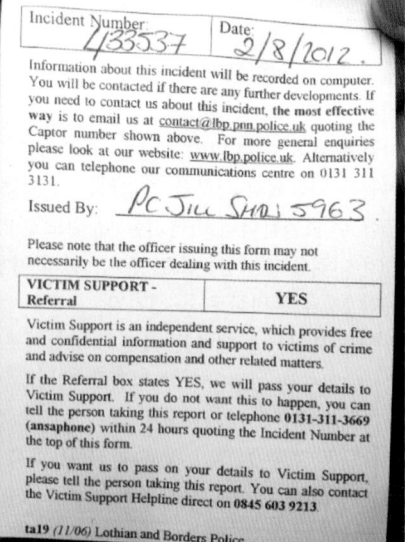

폴리스 리포트 예 : 지역에 따라 양식은 다를 수 있다. 그러나 포함된 내용은 거의 동일하다.

못했다면 여행자보험으로 보상받기 어렵다. 따라서 도난 시에는 꼭 경찰서에 가서 폴리스 리포트를 작성하고 사본을 보관해 두어야 한다.

여행을 끝내고 돌아와서는 보험회사에 전화를 걸어 도난 상황을 이야기한 후, 폴리스 리포트와 해당 보험사의 보험료 청구서, 휴대품신청서, 통장사본과 여권을 보낸다. 도난당한 물품의 구매 영수증은 없어도 상관 없지만 있으면 보상받는 데 도움이 된다.

보상금액은 여행자보험 가입 당시의 최고금액이 결정되어 있어 그 금액 이상은 보상이 어렵다. 보통 최고 50만 원까지 보상받는 보험에 가입하는 것이 일반적이다. 보험회사 심사과에서 보상이 결정되면 보험사에서 전화로 알려준다.

여행자보험의 최대 보상한도는 보험의 가입금액에 따라 다르지만 휴대품 도난은 1개 품목당 최대 20만 원까지, 전체 금액은 80만 원까지 배상이 가능하다. 여러 보험사에 여행자보험을 가입해도 보상은 같다. 그러니 중복 가입은 하지 말자.

07. 마드리드에서 렌페(renfe) 티켓 구입 방법

① 아토차역의 전광판 밑으로 들어간다.
② 번호표가 있으면 뽑아서 기다리고, 없으면 줄을 서서 기다린다.
③ 왼쪽에서 기다린다.
④ 말라가행 티켓을 구입한다.

렌페 탑승 방법

렌페는 플랫폼이 정해져 있지 않기 때문에
전광판을 자세히 지켜봐야 한다.
① 출발 10~20분 전, 플랫폼이 결정되어
   전광판에 표시된다.
② 플랫폼을 보고 내려간다.
③ 공항검색대처럼 짐 검사를 한다.
④ 티켓에 명시된 좌석을 보고 탑승한다.

렌페 내부 모습
스마트폰, 노트북 등을 충전할
수 있는 렌페도 다수 운행되고
있다.

말라가 잠브리노역에서 렌페 티켓 구입 방법
① 입구 왼쪽에서 티켓을 판매하고 있다.
② 티켓 구입 후 정면 전광판을 지나면 기차 플랫폼이 나온다.

Caminito
Del

왕의 오솔길
컨설팅

일정짜기 비법

Caminito del Rey

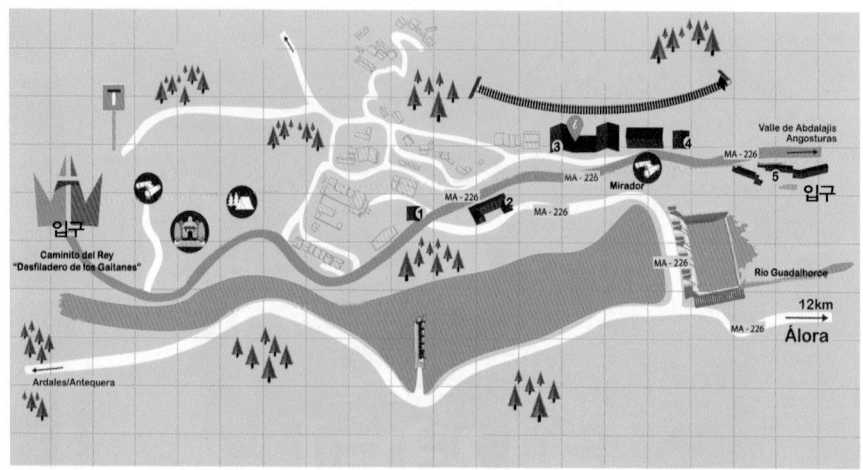

입구는 양쪽에 하나씩 있다.

왕의 오솔길을 방문하는 여행자들 중 유럽 여행이 처음인 여행자도 있고, 이미 경험한 여행자들도 있겠다. 누구라도 생소한 왕의 오솔길을 처음 간다면 어떻게 여행해야 할지 일정짜기가 막막할 것이다. 기대를 가지면서도 두려움도 함께 가지고 있다.

일정을 짤 때 가장 먼저 정해야 할 것은 입국할 도시를 결정하는 것이다. 스페인은 대부분 마드리드와 바르셀로나로 입국하는데 왕의 오솔길을 갈 때는 마드리드로 입국하는 것이 동선상 효과적이다.

왕의 오솔길 여행이 처음인 경우에는 스페인 지도를 보고 도시들이 어떻게 연결되어 있는지 알아두는 것이 좋다. 일정을 직접 계획하기 위해서는 다음의 3가지를 꼭 기억해두자.

① 스페인 지도를 보고 도시들의 위치를 파악하자.
② 도시 간 이동할 수 있는 기차와 버스가 있는지 파악하자.
③ 추천 루트를 보고 일정별로 계획된 루트에 자신이 가고 싶은 도시를 끼워 넣자.

32

>>> 왕의 오솔길 여행 일정짜기 샘플

마드리드에서 말라가로 가 1박 후에 엘 초로역으로 이동한다. 말라가에 도착했을 때 미리 엘 초로행 기차 티켓을 아침 시간으로 예매해두면 좋다. 엘 초로역에 도착하여 왕의 오솔길을 걸은 후 론다로 이동하여 약 1박 후 론다를 둘러보고 마드리드로 다시 돌아와 근교 여행까지 포함해 약 2박을 하는 1주일 정도의 계획이 가장 일반적이다.

추천1 일정에서 자신이 가고 싶은 도시를 한두 개 정도 넣어서 여행하는 약 10일 정도의 여행을 계획이다. 안달루시아 지방의 코르도바나 세비야로 이동하여 여행하고, 코르도바를 거쳐 바르셀로나에서 나오는 계획도 가능하다.

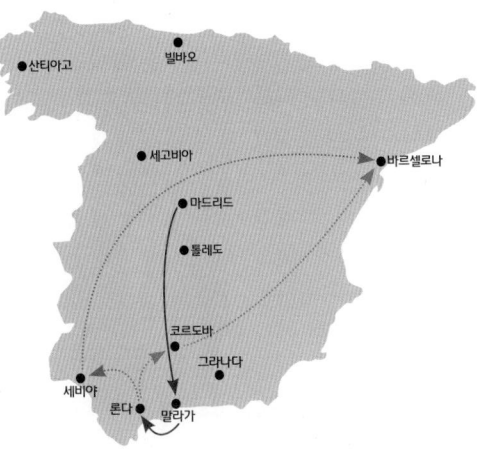

33

>>> 왕의 오솔길 여행 일정 짤 때 고려사항

1. 가고 싶은 도시를 지도에 형광펜으로 표시하자.

일정을 짤 때 정답은 없다. 제시된 일정이 본인에게는 무의미할 때도 많다. 렌페로 가기 쉬운 도시를 보면서 좀 더 경제적이고 효과적으로 여행할 방법을 생각해 보고, 여행 기간에 맞는 3~4개의 루트를 만들어서 가장 자신에게 맞는 루트를 정하면 된다.

① 도시들을 지도 위에 표시한다.
② 여러 가지 선으로 이어 가장 효과적인 동선을 직접 생각해본다.

2. 항공편의 In / Out과 주당 편수를 알아보자.

입·출국하는 도시를 고려하여 여행의 시작과 끝을 정해야 한다. 항공사는 매일 취항하지 않는 경우가 많기 때문에 날짜를 무조건 정하면 낭패를 보기 쉽다. 따라서 항공사의 일정에 맞춰 총 여행 기간을 정하고 도시를 맞춰봐야 한다. 가장 쉽게 맞출 수 있는 일정은 1주, 2주식으로 주 단위로 계획하는 것이다. 대부분의 항공기는 마드리드와 바르셀로나의 IN / OUT이 많다는 것도 알아두자.

3. 렌페 패스의 기간을 알아둔다.

선택한 렌페 패스의 이용 날짜를 확인하고 사용하는 날짜와 동선을 고려하여 이용해야 한다. 여러 종류의 패스 중에서도 이동하는 날짜(기간)에 맞춰 사용하는 3~7일권을 가장 많이 사용한다.
처음 여행을 시작하는 도시와 여행이 끝나는 도시에서는 도시간 이동이 없으므로 그 기간을 빼고 패스를 구입하는 것이 경제적이다. 예를 들어 여행 기간이 15일일 때 15일간 사용하는 패스를 구입한다면 처음 도착하는 도시와 마지막 도시가 남아 비경제적이다. 이 경

우에는 렌페를 이용하는 날짜만 계산되는 3~7일권을 이용하는 것이 경제적이다. 렌페와 더불어 스페인 여행에서 가장 많이 이용하는 교통수단은 버스다. 렌페와 버스를 적절히 섞어 이용하면 일정이 늘어나더라도 비용을 절약할 수 있다. 단, 버스는 패스가 없다.

4. 왕의 오솔길과 산티아고 순례길을 같이 걷고 싶다면 여행 일정을 반드시 미리 계획해야 한다.

왕의 오솔길 여행이 처음이라면 산티아고 순례길과 같이 여행하는 것은 쉽지 않다. 루트를 잘못 만들어 고생하기 일쑤다. 두 군데를 함께 여행하려면 먼저 산티아고 순례길을 걷고 나서 마드리드로 돌아와 왕의 오솔길을 가야 한다.

5. 왕의 오솔길과 스페인의 여러 도시를 같이 여행한다면 스페인 도시들의 동선을 잘 파악하고 있어야 한다.

스페인의 다른 도시와 왕의 오솔길을 같이 여행하고 싶다면 마드리드로 입국해야 한다. 바르셀로나부터 여행하는 동선은 좋지 않다. 바르셀로나는 말라가로 들어가는 렌페가 없기 때문에 다시 마드리드로 돌아와서 말라가로 가는 렌페를 타야 하는 불편함이 있다.

마드리드로 입국하여 말라가를 거쳐 엘 초로역에서 내려 왕의 오솔길을 걷고 론다나 코르도바, 세비야로 이동하여 안달루시아 지방을 여행한 후 그라나다, 바르셀로나 순으로 여행하는 동선이 가장 좋다.

마드리드와 말라가에서 준비하기

— Caminito del Rey —

01 장보기

인천공항에서 마드리드로 이동하여 왕의 오솔길을 가려고 한다면 마드리드와 말라가에서 미리 준비하고 이동하는 것이 좋다. 특히 산티아고 순례길을 다녀왔다면 피로도가 심할 것이다. 또한 미처 준비하지 못한 물건이 있는지 확인하고 장도 미리 봐야 한다.

▶마드리드
마드리드에 도착했다면 최소 하루 정도는 마드리드에서 관광을 하고 이동하는 경우가 대부분이다. 마드리드에는 한인마트가 있으며 이곳에서는 한국 음식과 먹거리를 우리나라보다 약간 비싼 가격에 판매하고 있다. 심하게 비싼 편은 아니니 미리 이동하여 장을 볼 것을 추천한다. 엘 초로역 근처에 있는 라 가르간타(La Garganta) 호텔은 간단한 음식을 할 수 있도록 주방과 전자레인지가 구비되어 있다. 간단히 요기할 수 있는 것들을 미리 준비하자.

– 한스식품(한인마트)
플라자 데 에스파냐역에서 내려 플라자 데 에스파냐 출구로 나와 출구를 등지고 길을 건너 한 블록 가서 왼쪽으로 돌면 오른쪽에 한스식품이 보인다. 간판이 크지 않아 그냥

지나칠 수 있으므로 주의한다. 가격은 우리나라보다 1.5~2배 정도가 비싸지만 묶음으로 사면 조금 더 저렴하다. 주인 아주머니가 없을 때는 입구에 적힌 전화번호로 전화하고 기다리면 된다.

▶ 말라가
말라가를 여행하고 왕의 오솔길로 이동하려면 말라가역에서 오전 9시 전에 렌페를 타야한다. 이 시간에는 말라가역의 마트는 닫혀 있기 때문에 전날 미리 역 안의 마트에서 장을 보고 엘 초로역으로 이동하면 편리하다. 간단한 음료와 주류 등은 마트에서 구입하는것이 저렴하다.

02 기차 티켓

마드리드에서 말라가로 이동한 후 다시 엘 초로역으로 이동하므로 마드리드에서 엘 초로역 티켓을 미리 구입해놓으면 편리하다. 다만 한국에서 3일권을 구입해서 왔다면 자신의 여행에서 사용 날짜를 미리 계획해야 한다.
마드리드에서 말라가 구간은 비싸기 때문에 3일권을 사용하면 효과적이지만 말라가에서엘 초로역 구간과 엘 초로역에서 론다 구간은 가격이 저렴하므로 3일권을 사용하면 손해다. 3일권이라면 마드리드에서 말라가, 코르도바에서 세비야, 세비야에서 그라나다 구간, 그라나다에서 바르셀로나 구간을 사용하는 것이 가격대비 효율적이다. 그러나 우리나라의 KTX와 유사한 고속열차(AVE)로 마드리드에서 말라가로 이동할 경우에는 3일권을 사용하지 못한다. 반면에 약 4시간 정도 소요되기 때문에 이동 시간을 단축할 수 있다. 따라서 마드리드에서 말라가로 이동할 때 자신의 상황을 고려하여 기차를 선택해야한다.

엘 초로행 기차 시간표

론다 출발	말라가 출발
16:55	10:15 / 15:13
	16:48
	16:55
	18:47

03 렌터카 온라인으로 예약하기

1. 글로벌 렌터카업체 식스트 예약

여행할 때에 렌터카는 매우 중요하지만 렌터카 예약이 쉬운 건 아니다. 이제 렌터카로 여행하는 방법과 세부적인 문제들을 살펴보자.

식스트 같은 글로벌업체는 차량에 문제가 생겼을 때 우리나라에 전화를 하여 도움을 받을 수 있다는 장점이 있다.

1 식스트 홈페이지(www.sixt.co.kr)로 들어가면 상단과 중앙 메뉴에 해외예약이 있다. 해외예약을 클릭한다.

2 상단 메뉴의 해외예약을 클릭하면 해외예약에 대한 이용안내 페이지로 이동한다. 해외 렌터카를 처음 이용한다면 이용안내부터 살펴본 후 가이드에 따라 예약하자.

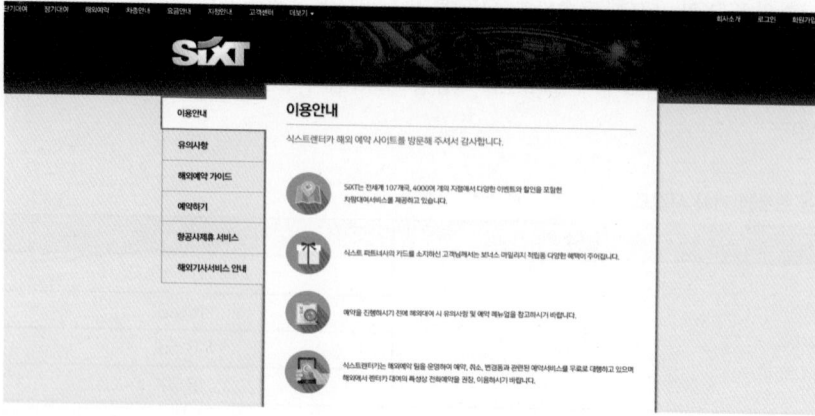

③ 중앙의 해외예약을 클릭하면 바로 예약할 수 있는 페이지로 이동한다.

Car Reservation에서 차량을 렌트하는 기간과 장소를 선택하고 밑의 Calculate price를 클릭한다.

④ 차량을 선택하라고 나온다. 차량 이름 마지막에 있는 괄호 안의 세 번째 알파벳이 'M'이면 수동이고 'A'이면 오토(자동)라는 뜻이다. 우리나라 사람들은 대부분 오토를 선택한다. 차량에 마우스를 대면 Select Vehicle이 나오는데 클릭한다.

ex) MB<u>M</u>R : 수동

　　LD<u>A</u>R : 오토

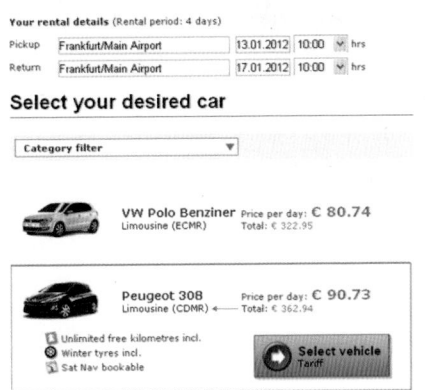

⑤ 차량에 대한 보험을 선택 과정이다. 보험 금액을 보고 해당되는 것을 선택하고 넘어간다. 이때 세 번째에 나오는 문장은 패스하면 된다.

⑥ Pay upon arrival은 현지에서 차량을 받을 때 결재한다는 말이고, Pay now online은 바로 결재한다는 것이다. 본인이 원하는 대로 선택하면 된다. 이때 온라인으로 결재하면 5% 정도 싸지만 취소할 때는 3일

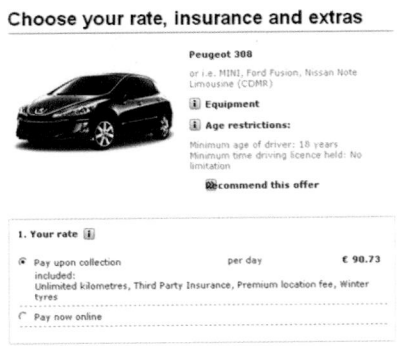

치의 렌트비를 떼고 환불 받게 된다. 다
선택하면 Accept rate and extras를 클릭하
고 넘어간다.

7 세부적인 결재정보를 입력할 때는 *가
나와 있는 부분만 입력한다. Book now를
클릭하면 예약번호가 나온다. 예약번호
와 가격을 확인한 후 인쇄해서 가져가거
나 예약번호를 적어가면 된다.

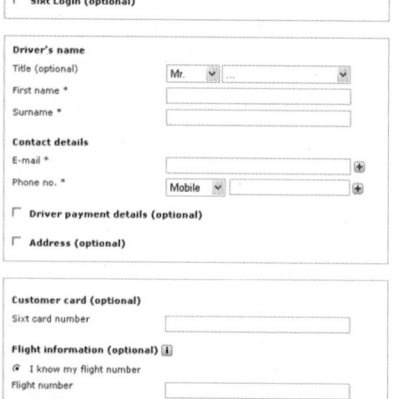

8 이제 다 끝났다. 현지에서 예약한 차량이
맞는지 잘 확인하고 차량을 인수한다.

**Many thanks for your reservation. We wish
you a good trip.**

Your reservation was successful.
Your reservation number is: 1213888730
Your all round price: € 362.94

2. 가민 내비게이션의 장단점

렌터카보다 중요한 것이 내비게이션을 가지고 가는 것이다. 해외에서 쓰는 가민 내비게이션의 한국어 버전은 우리나라에서 빌려서 가져가야 한다. 현지의 가민 내비게이션은 영어로 되어 있고, 빌리는 데에도 하루에 1만 원 정도의 비용이 발생한다.

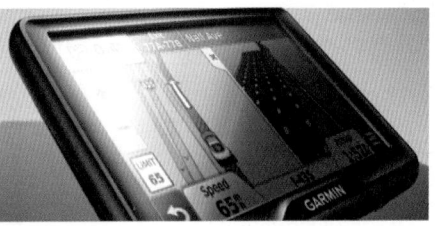

장점
① 유럽 전역의 지도가 있다.
② 과속 카메라를 잡아준다.
③ 가민 프로그램를 깔면 한글명칭으로 주소를 정리해준다. 미리 가민 내비게이션 즐겨찾기에 이동할 장소를 넣어두면 한글로 나오기 때문에 사용이 수월하다.

단점
① 주소로 검색이 어렵다. GPS 좌표로 찾아야 정확하게 이동이 가능하다.
② 강압식 터치 방식이라 꾹꾹 눌러서 손가락으로 찍어야 한다. 스마트폰처럼 화면을 크게 만들지 못한다.
③ 화면이 5인치로 작다.

 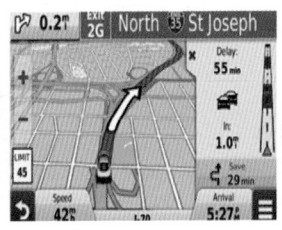 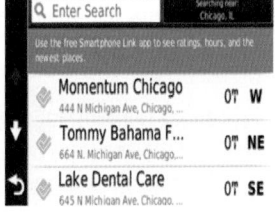

가민내비게이션 사용방법

1. 전원을 켜면 'Where To?'와 'View Map'의 시작화면이 보인다.

2. 'Where To?'를 선택하면, 위치를 찾는 여러 방법이 뜬다.

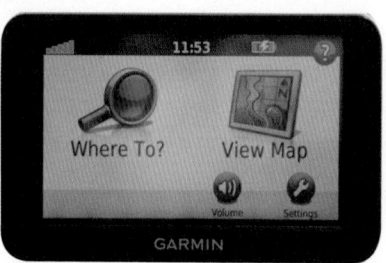

- Address : street 이름과 번지로 찾기 때문에, 주소를 정확히 알 때 사용
- Points of interest : 관광지, 숙소, 레스토랑 등 현 위치에서 기까운 곳 위주로 검색할 때 좋다.
- Cities : 도시를 찾을 때
- Coordinates : 위도와 경도를 알 때 사용하며, 가장 정확하다.

3. 위치를 찾으면 바로 갈지(go), Favoites에 저장(save)해놓을지를 정하면 된다. 바로 간다면 그냥 go를 눌러도 되지만, 위치를 한 번 클릭해준 후 (이때 위치 다시 확인) go를 눌러도 안내가 시작된다.
Save를 선택하면 그 위치가 다시 한 번 뜨고, 이름을 입력할 수 있다. 이 내용이 두 번째 화면의 Favorites에 저장되고, 즐겨찾기처럼 시작화면의 Favorites를 클릭하면 언제든지 확인할 수 있다.

우리나라 내비게이션과 다른 점

※전체 노선을 보기가 어렵다. 일단 길찾기를 시작하면, 화면을 옆으로 미끄러지듯 터치하면 대략의 노선을 보여주지만, 바로 근처의 노선만 확인할 수 있다.
※우리나라 내비게이션처럼 1㎞, 500m, 200m앞 좌회전. 이런 식으로 반복해서 안내하지 않으므로 대략적 노선과 길 번호 정도를 알아두면 좋다.
※Favorites를 활용하여 이미 정해진 숙소나 갈 곳은 미리 입력해놓고(address나 coordinates를 이용), 그때그때 cities, points of interest를 사용하여 검색하면 거의 못 찾는 것이 없다. 또 스페인 지도는 테마별로 잘 만들어져 있어서 인포메이션이나 호스텔, 렌터카 회사 등에서 지도를 구하면 지도만 보고도 운전할 수 있을 정도로 도로정비와 표지판이 정확하다. 걱정하지 말자.

숙소

 **라 가르간타(La Garganta) 호텔**

엘 초로역에서 내리면 바로 왼쪽에 보이는 호텔로 역 근방에서는 가장 좋은 호텔이다. 더 블룸과 가족룸 등 다양한 객실을 가지고 있으며, 가족룸은 1명 정도는 오버 부킹도 가능하다. 객실에서 먼저 체크인을 하고 나면 호텔에서 무료로 왕의 오솔길 입장 티켓을 준다. 그래서인지 라 가르간타 호텔의 인기가 올라가고 있다.

덥고 건조한 말라가 날씨는 수영장만 있다면 휴양의 기분을 느끼기에 충분하다. 라 가르간타 호텔에는 수영장이 있어 그 기분을 만끽할 수 있다. 수영장에서 비라본 풍경이 일품이다.

그뿐만 아니라 레스토랑에서 맛보는 음식도 수준급이다. 아침에 엘 초로역에 도착해 체크인을 하고 왕의 오솔길을 걷고 나서 수영장에서 피로를 푼 후 멋진 풍경을 감상하고 레스토랑에서 아름다운 자연을 벗삼아 음식을 즐긴다면 여행의 피로와 왕의 오솔길에서 느낀 감상도 다시 돌아올 정도로 좋은 호텔이다.

■ 홈페이지_ www.lagarganta.com
■ 주소_ El Chorro s/n, 29552
■ 전화_ 349-5249-5000
■ 요금_ 더블룸 €80~(성수기 €100~)
　　　　가족룸(4명 기준) €130~(성수기 €150~)

APARTAMENTOS
LA GARGANTA
RESTAURANTE
PISCINA
APARTAMENTOS y RESTAURANTE
La Garganta
ENTRADA
BAR·RESTAURANTE
Mirador
Caminito del Rey

왕의 오솔길
입구

드디어 왕의 오솔길을 가다

처음 왕의 오솔길을 가기로 결정한 순간부터 사진과 동영상을 통해 왕의 오솔길에 대해 알아보았다. 사진과 영상만을 봤을 때는 정말 아찔하고 위험해 보였다. 과연 내가 가도 괜찮을까라는 생각이 멈추지 않았고, 갔다가 잘못되기라도 하면 어떡하느냐는 주변의 걱정도 많았다. 그러나 그곳의 진귀한 풍경과 꼭 한 번 도전하고 싶다는 나의 의지는 지금 이곳, 왕의 오솔길로 향하는 비행기에 몸을 싣게 했다.

말라가 기차역에 도착하니, 7시 50분 정도였다. 왕의 오솔길을 갈 수 있는 엘 초로역으로 향하는 기차표를 알아보았다. 10시 5분, 론다행 기차를 타면 엘 초로역에 내릴 수 있다고 한다. 너무 일찍 기차역에 도착한 나는 약 2시간 정도를 기다려야 했다. 너무 이른 시간 탓에 주변 상점은 문을 열지 않은 상태였다. 기다릴 곳을 찾으며 한참을 서성일 때 유일 하게 불이 켜진 커피숍을 발견했다.

곧 있으면 왕의 오솔길을 눈앞에서 본다고 생각하니, 긴장되기 시작했다. 그동안 카미니 토 델 레이Cominito del Rey, 즉 왕의 오솔길에 대한 정보는 많지 않았다. 그곳을 오간 이들 도 많지 않다고 한다. 그런 곳에 내가 지금 간다고 생각하니 더욱 긴장되었다. 긴장을 풀어볼 겸, 게임을 하면서 기차를 기다렸다.

9시 40분에 플랫폼을 찾아 표를 확인하고 스페인 기차 렌페에 오른 후에도 왕의 오솔길을 가고 있다는 실감이 나지 않았다. 위험하지는 않을까 하는 걱정에 더 긴장했던 것 같다. 승강장을 확인하려고 위를 보는데 왼쪽에 카미니토 델 레이를 홍보하는 대형 포스터가 붙어 있었다. 와우! 정말 멋지다!

대형 포스터를 배경으로 사진을 찍으며 조금씩 왕의 오솔길에 다가가고 있었다. 45분 만에 도착한 기차는 나를 더욱 긴장하게 만들었다.

카미니토 델 레이 포스터

▲엘 초로역의 현재 모습

◀엘 초로역의 과거 모습

엘 초로역에서 사람들이 한꺼번에 한쪽으로 이동했다. 나 역시 그들을 따라갔다. 숙박업소 같은 곳에서 사람들에게 왕의 오솔길 입장권을 25유로의 가격으로 판매하고 있었다. 그곳이 바로 라 가르간타 호텔이다. 30분 정도 기다려 표를 구입하고 나니 벌써 11시 30분, 점심시간이 다가왔지만 배는 고프지 않았다. 아마도 긴장을 했으리라.

처음에는 그냥 멋있는 풍경 속으로 들어간다는 생각만으로 한껏 들떠 있었다. 그러나 여행 안내소로 들어가며 헬멧을 보는 순간 긴장되기 시작했다. 다시 입장시간을 기다려 헬멧을 받았고 이어서 안내소 직원이 설명을 하는데 대부분은 '위험한 행동을 하지 말라'는 내용이었다. 결국 조심하라는 뜻인데, 얼마나 위험하기에 조심하라고 하는지 궁금증만 더해갔다.

사실 왕의 오솔길은 안달루시아 지방의 엘로코 협곡, 과달오르세강 협곡에 있는 좁은 길로 1905년 수력발전소를 건설하기 위한 물자 수송과 노동자들의 이동통로로 조성되었다. 절벽 사이의 이 좁은 길을 1921년 스페인 왕 알폰소 13세가 댐 건설 축하를 위해 건너되면서 '왕의 오솔길'이라는 거창한 이름이 붙여졌다. 그러나 이후 약 80년 동안 보수가 제대로 이뤄지지 않아 '세계에서 가장 위험한 길'이라는 악명을 얻었다.

역에서 나오면 왼편에 라 가르간타 호텔이 있다. 이 호텔 리셉션에서 왕의 오솔길 입장권을 구입할 수 있는데, 여권을 보여주고 25유로를 내면 된다.

헬멧을 받으면서 모험은 시작된다.

위생을 위해 머리 덮개를 하나 더 쓴다.

안전요원에게 안전행동 주의사항을 안내받고 있다.

안내소에서 기다리며 사진 한 장!

안내소 여기저기 풍경을 구경하고, 고양이와 한가하게 기다리기도 한다.

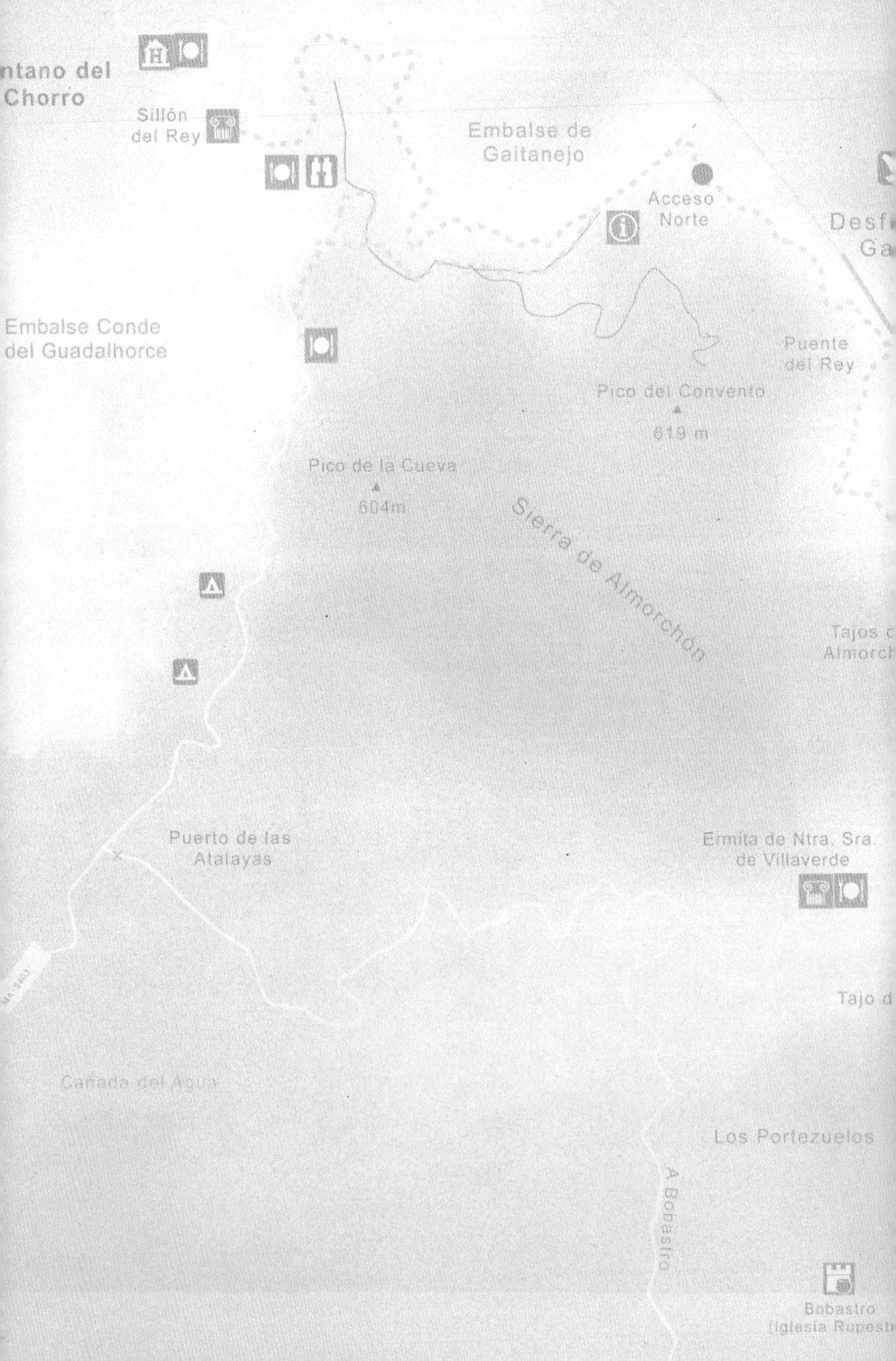

ntano del
Chorro

Sillón
del Rey

Embalse de
Gaitanejo

Acceso
Norte

Desf
Ga

Embalse Conde
del Guadalhorce

Puente
del Rey

Pico del Convento
▲
619 m

Pico de la Cueva
▲
604m

Sierra de Almorchón

Tajos c
Almorch

Puerto de las
Atalayas

Ermita de Ntra. Sra.
de Villaverde

Tajo d

Cañada del Agua

Los Portezuelos

A Bobastro

Bobastro
(iglesia Rupestr

Paraje Natural del
Desfiladero de los Gaitanes

La Hu...
1.121...

Valle del Hoyo

Tajo del
Estudiante

왕의 오솔길

코스 1

La Pedreras

Desfiladero de los
Gaitanes

Acceso
Sur

Las Frontales

e Colgante

E-4 GR 7 / GR

Gran Senda de Málaga

Embalse Tajo de la
Encantada

Tajo de la Encantada
▲
567 m

El Chorro

E-4 GR 7 / GR 249

H

Gran Senda de Malaga

GR 248

Embalse Superior Tajo
de la Encantada

La Almona

다리가 후들후들

산으로 조금 올라가니 입구가 나왔다. 입구에서 인원 파악을 위해 준비된 종이에 이름을 적으면서 옆을 슬쩍 보니, 거대한 절벽 위에 한 명이 지나갈 수 있을 만한 길이 아주 좁다랗게 붙어 있었다. 사람들은 그 길을 걸어가고 있었다. 그 길 아래로는 보수가 안 된 예전의 길들이 보였다.

이 길을 어떻게 갈 생각들을 했는지 정말 의문이 들었다. 입구를 지나 한참을 평지로 가

다 오르막길에 다다르면 사진에서만 보던 왕의 오솔길의 상징과도 같은 다리가 보인다. 다리 입구에서 마주친 왕의 오솔길을 다 걷고 나오는 트레커들은 자신만만한 표정으로 인사를 건넸다. 뒤의 다리를 배경으로 사진을 찍으며 '무서운데 돌아갈까?'라는 생각이 머릿속에서 계속 맴돌았다.

'어차피 온 거 빨리 가자!'라는 생각으로 서둘러 절벽에 붙어 있는 다리로 이동했다. 막상 점점 다가오는, 절벽에 붙어 있는 다리를 보니 단순해 보였다. 그러나 왼쪽으로 고개를 조금만 돌리면 끝없이 펼쳐진 강물이 정신을 아찔하게 했다. 평범하면서 공포스러운 이중적인 모습이었다.

잔뜩 겁을 먹은 채로 걷다가 밑을 보니 눈앞이 깜깜해졌다. 절벽 밑은 바위와 호수만 있었고, 그 순간부터 나도 모르게 걸음이 빨라지기 시작했다.

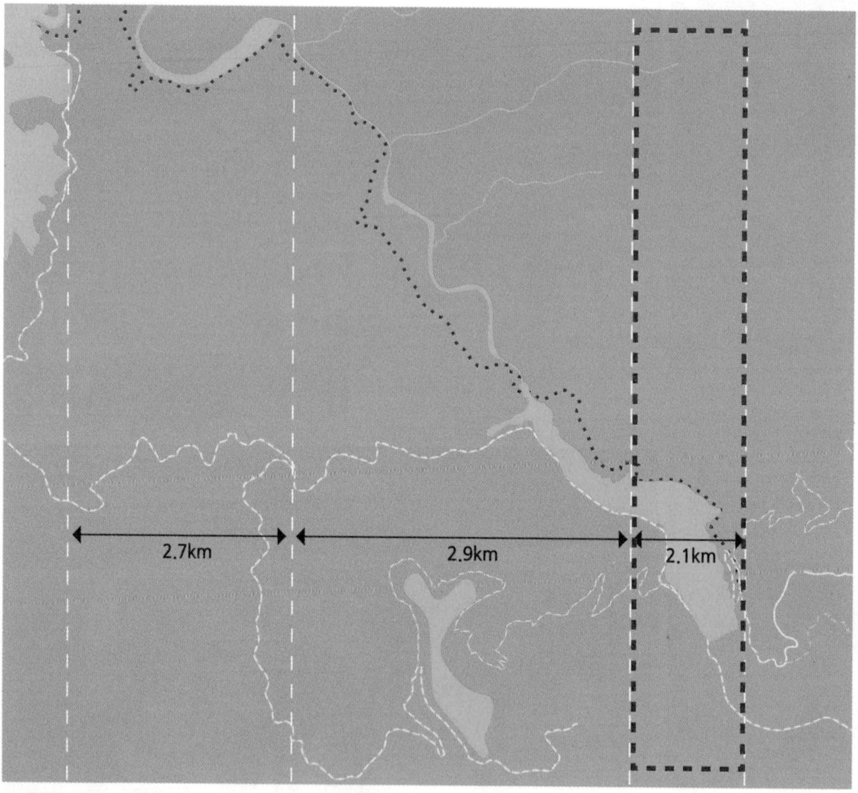

2.7km 2.9km 2.1km

트레킹 코스 1

바람은 더욱 강해지고 다리는 더 후들
거렸다.

"이거 못 건너!"라는 말이 절로 나왔
다. 정말 무섭고 다시 돌아가고 싶은
생각과 동시에 셀카봉을 꺼내고 있는
나 자신을 발견하고 웃음만 나왔다.
다들 심호흡을 하고 한 발짝 가고, 다
시 절벽을 붙잡고 밑을 보는 나를 보
더니, 일행을 포함해 지나가는 사람들이 웃으며 빨리 가자고 재촉했다.

다리는 후들거렸지만 눈앞에 펼쳐진 멋진 장면을 카메라에 담고 싶었다. 무섭지만 참으
면서 셀카봉에 휴대폰을 달고 심호흡을 한 후 사진을 찍기 위해 나서려는 찰나 강한 바람
과 함께 셀카봉을 떨어뜨렸다. 다행히 휴대폰은 다리 바닥에 떨어졌지만 나는 휴대폰을
줍지도 못하고 절벽 쪽에 몸을 붙였다. 옆에 있던 관광객이 휴대폰을 주워 주었다. 셀카
봉에 다시 휴대폰을 달아봤지만 또 떨어질 거 같아서 직접 휴대폰을 들고 동영상을 찍었
다. 그렇게 이곳의 풍경을 동영상으로 찍고 나니 이 풍경 속에 내가 있었으면 좋겠다는
생각이 들었다. 하지만 다시 돌아갈 엄두가 나지 않았다. 그때 마침 함께 동행한 미국인
조쉬가 우리의 동영상을 찍어주었다.

예전의 다리와 새로 만들어진 다리의 모습

'안전하겠지!'라는 믿음은 있었지만 무서운 것은 어쩔 수 없었다. 조쉬가 찍은 동영상을 보니 바람에 흔들리는 다리와 옆의 난간을 붙들고 엉거주춤하게 구부린 종아리에 힘을 주며 지나가는 장면들이 생생하게 표현되어 있었다.

사진으로만 볼 때는 아찔하게 아름다운 왕의 오솔길 이곳을 걸어가는 장면을 수없이 상상했었는데 역시 사진에서 보는 것과 현실은 달랐다. 바람이 이렇게 강할 줄은 몰랐다. 바람이 강하다 보니 이 다리는 한꺼번에 10명만 지나갈 수 있다.

다리를 지나고 나니 다리 밑 과달오르세강의 아름다운 자연이 눈에 들어왔다. 이젠 아찔한 아름다움을 간직한 왕의 오솔길을 맛볼 차례다. 나는 그 길의 한 장면에 들어가 풍경이 되고 있었다.

바람이 나를 절벽 아래로 데리고 갈 듯한 구간을 지나고 나니 계곡이 나왔다. 여기서는 그동안 방치된 난간이 없는 다리들이 적나라하게 보였다. 그 다리를 실제로 걸으니 사진으로만 보고 느꼈던 위험과는 차원이 달랐다. 이렇게 바람이 강하게 부는 왕의 오솔길에서 난간도 없이 걷는다는 건 나로서는 상상도 할 수 없는 일이었다. 그렇다고 너무 걱정할 필요는 없다. 항상 안전요원이 다리를 지나가는 트레커들을 지켜보고 있으니.

다리 밑을 보는 것은 아찔하기도 하지만 짜릿하기도 하다. 이러한 다리를 지나 절벽을 따라 나 있는 아찔한 길들을 한참 걸어가야 계곡 안쪽으로 들어선다. 아름다운 절경이 그동안의 무서움을 감탄으로 바꿔준다. 계곡을 쳐다보는 여유도 생기고 이제 서서히 이곳에 익숙해지면서 내가 마치 새로운 모험을 하는 느낌이다.

바람이 강해 헬멧을 잡아야만 걸어가기 쉽다.

▼다리에서 나오는 물줄기가 바람에 날리는 모습

바람도 강하지만 나도 이제 강하게 바뀐 것 같았다. 그런데 이때 눈에 들어온 검은색 대리석이 다시 나를 무섭게 만들었다. 이 대리석에는 오래전 이곳을 오르려고 도전했던 3명의 청년이 죽음에 이른 사연이 소개되어 있다. 이처럼 이곳은 우리에게는 모험과 도전의 장소이기도 하지만 이곳에서 목숨을 잃은 이와 가족들의 아픔이 있는 곳이기도 하다. 나는 무서웠지만 아무렇지 않게 지나가는 척을 했다.

사실 왕의 오솔길은 유럽 사람들의 클라이밍으로 인기를 끌던 곳이다. 아름답고 짜릿한 풍경에 20세기 초부터 만들어진 오솔길들이 있어 매년 여름이면 클라이밍을 하려는 클라이머들로 북적인다.

왕의 오솔길은 2천년대 초, 유투브에 아찔하고 위험한 다리를 건너는 모험가들의 모습을 담은 동영상이 이슈가 되면서 세상에서 가장 위험한 길로 다시 알려지기 시작했다. 이렇게 위험한 왕의 오솔길을 걷다가 죽게 되는 사고가 일어나자 폐쇄되었다. 이후 보수를 거쳐 15년만인 2015년에 재개장했다.

현재의 왕의 오솔길은 대부분 기존의 폐쇄된 길 위에 새롭게 만들어져 있다. 절벽 아래를 보고 싶을 때 다들 앞으로 나아가지 못하고 바위를 잡고 아래를 보게 되는데, 아무래도 깎아지른 듯한 절벽의 웅장함에 자신도 모르게 자연스레 두려움이 생기는 것 같다. 하지만 이 길은 안전요원을 비롯한 직원들이 매일 안전을 체크하고 있으며, 입구에서부터 안전요원이 지켜보고 있기 때문에 위험한 행동을 하지 않는다면 안전하다.

위험하다고 알려진 만큼 스스로 안전을 위한 대비를 해야겠다고 생각하면서 계곡과 풍경을 벗삼아 걸었다. 그렇게 얼마 가지 않아 계곡 물을 바로 발밑에서 볼 수 있게 만들어놓은 유리 난간이 나왔다. 유리가 깨지지 않는다는 것을 알고 있었지만 쉽게 올라서지는 못했다. 한 발짝을 옮기는 데 이렇게 시간이 오래 걸리다니! 우습지만 나는 다리를 끌듯이 유리 난간의 중심으로 다가갔다. 절벽 아래가 보였다. 아래를 본 다음 빨리 나무 바닥으로 다시 돌아갔다. 유리바닥이 무서워 어쩔 줄 몰라 하던 당시의 나를 생각하면 아직도 웃음이 나온다.

건너편에는 기찻길이 있었는데, 1851년에 만든 것이라고 한다. 절벽과 절벽 사이에 놓인 기찻길, 그리고 그 절벽을 통과하는 기차. 생각만 해도 그 아찔함이 전해진다. 이 기찻길 절벽이 나오면 첫 번째 코스의 끝에 다다른 것이다. 여기까지 오는 것만으로도 힘이 들었다. 그런데 그때 마침 할아버지와 어린아이를 보았다. 할아버지, 어린아이도 걷는데 차마 힘들다고 말할 수가 없었다.

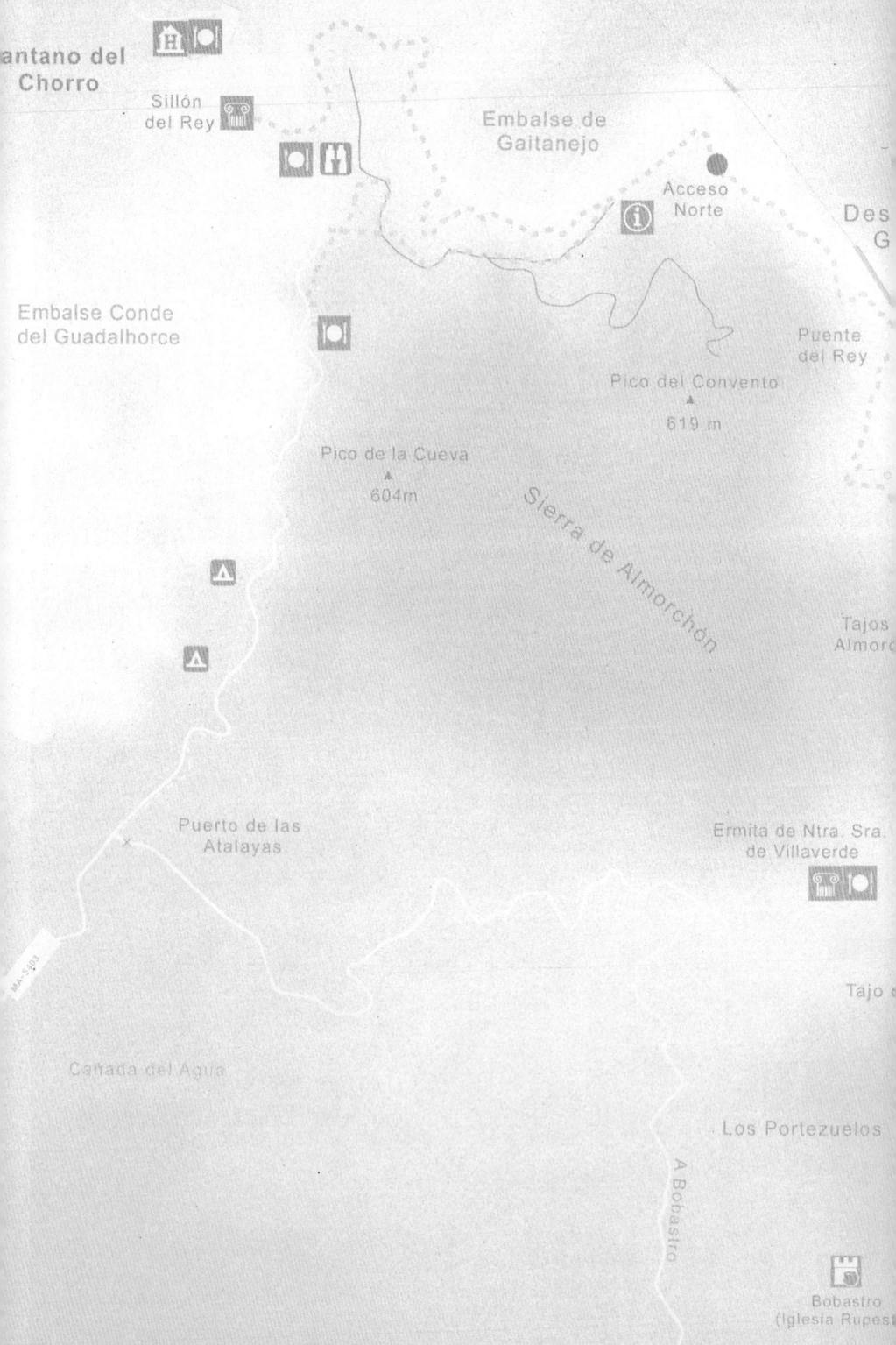

antano del
Chorro

Sillón
del Rey

Embalse de
Gaitanejo

Acceso
Norte

Des
G

Embalse Conde
del Guadalhorce

Puente
del Rey

Pico del Convento
619 m

Pico de la Cueva
604m

Sierra de Almorchón

Tajos
Almor

Puerto de las
Atalayas

Ermita de Ntra. Sra.
de Villaverde

Tajo

Cañada del Agua

Los Portezuelos

A Bobastro

Bobastro
(Iglesia Rupes

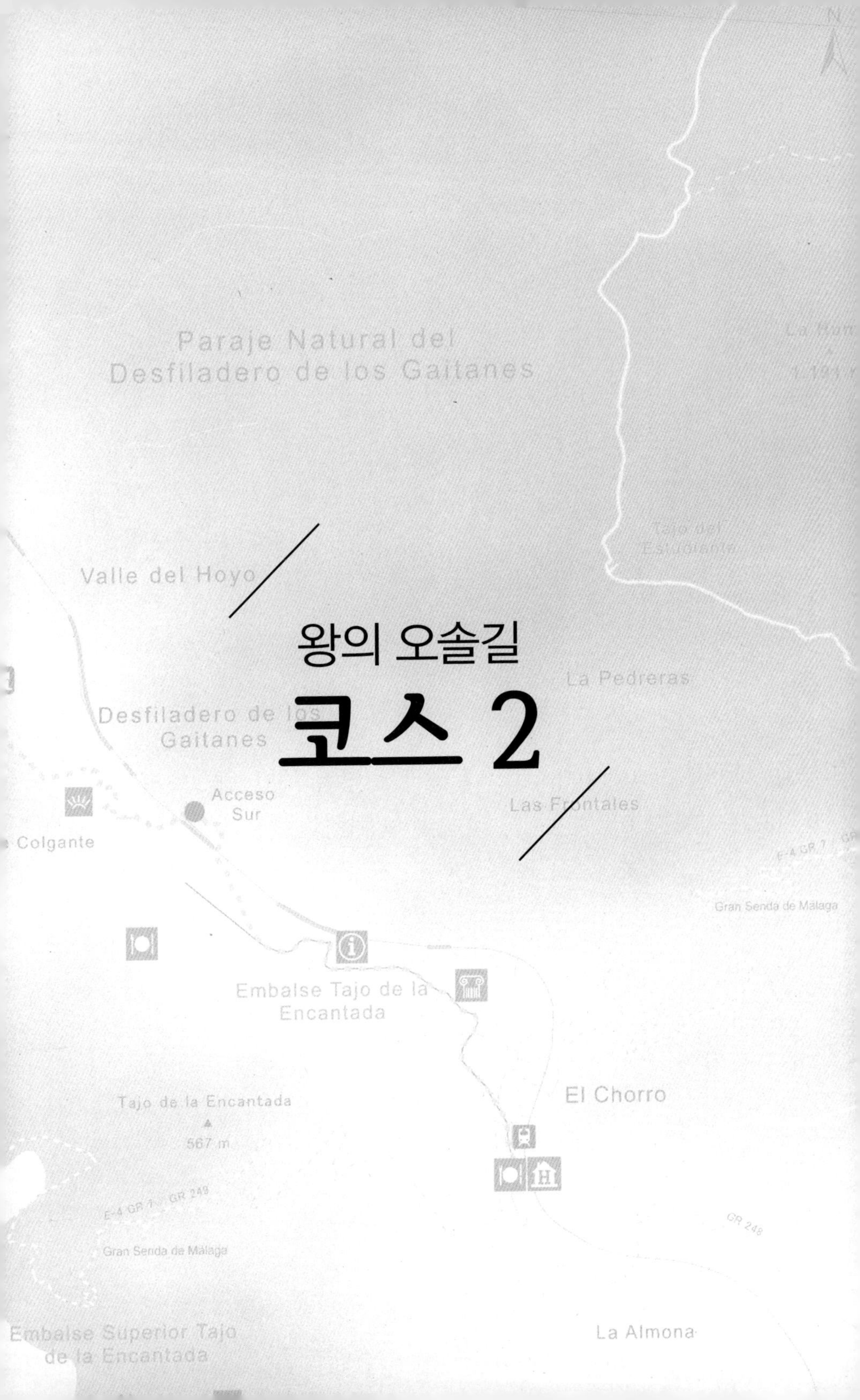

Paraje Natural del
Desfiladero de los Gaitanes

La Hom
1.191

Valle del Hoyo

Tajo del
Estudiante

왕의 오솔길
코스 2

La Pedreras

Desfiladero de los
Gaitanes

Acceso
Sur

Las Frontales

Colgante

E-4 GR 7 GR

Gran Senda de Málaga

Embalse Tajo de la
Encantada

El Chorro

Tajo de la Encantada
▲
567 m

E-4 GR 7 GR 249

GR 248

Gran Senda de Málaga

Embalse Superior Tajo
de la Encantada

La Almona

자연을 만끽하며

절벽으로 이어진 아찔한 바위산을 지나면 산책길 구간인 두 번째 코스로 이어진다. 동네 뒷산의 걷는 산책로 같은 느낌이랄까? 절벽도 없고 난간을 따라 걸을 일도 없다. 쉬어가는 사람들이 가장 많이 보이는 구간으로 간혹 오르막길이 나오지만 그 정도는 힘들지 않게 걸을 수 있다.

그런데 긴장이 풀려서일까? 첫 번째 코스를 걸을 때는 힘든지도 몰랐는데 평지를 주로 걷는 두 번째 코스는 상대적으로 더 힘이 들었다.

이 구간은 평지에 가깝고, 왕의 오솔길의 아름다운 풍경들이 눈에 들어오기 시작하기 때문에 쉬어가기에 좋다.

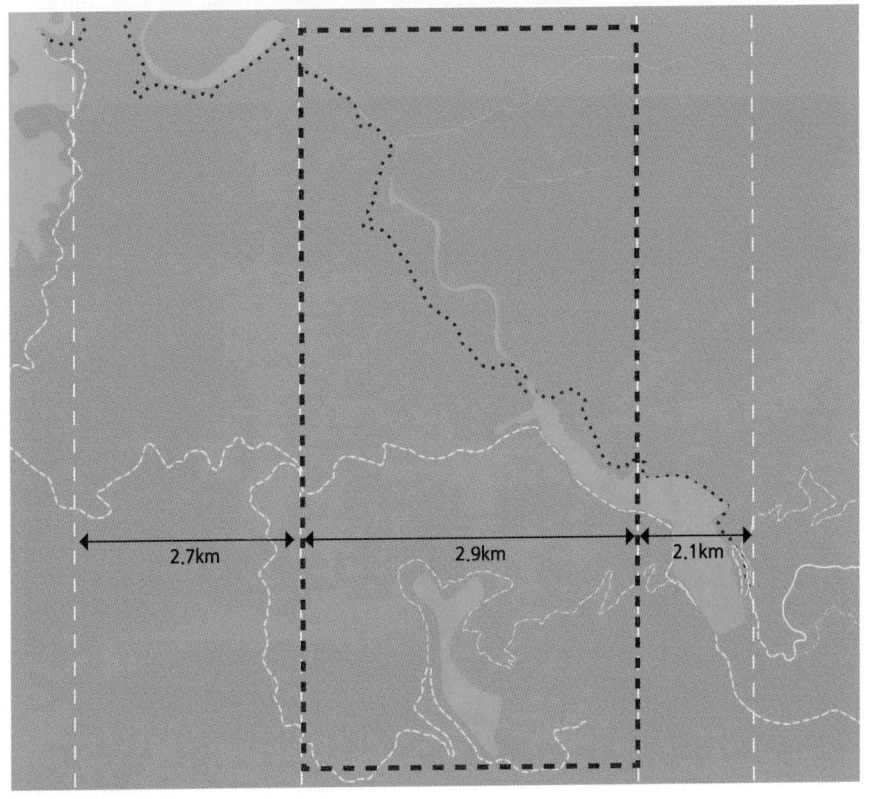

2.7km 2.9km 2.1km

트레킹 코스 2

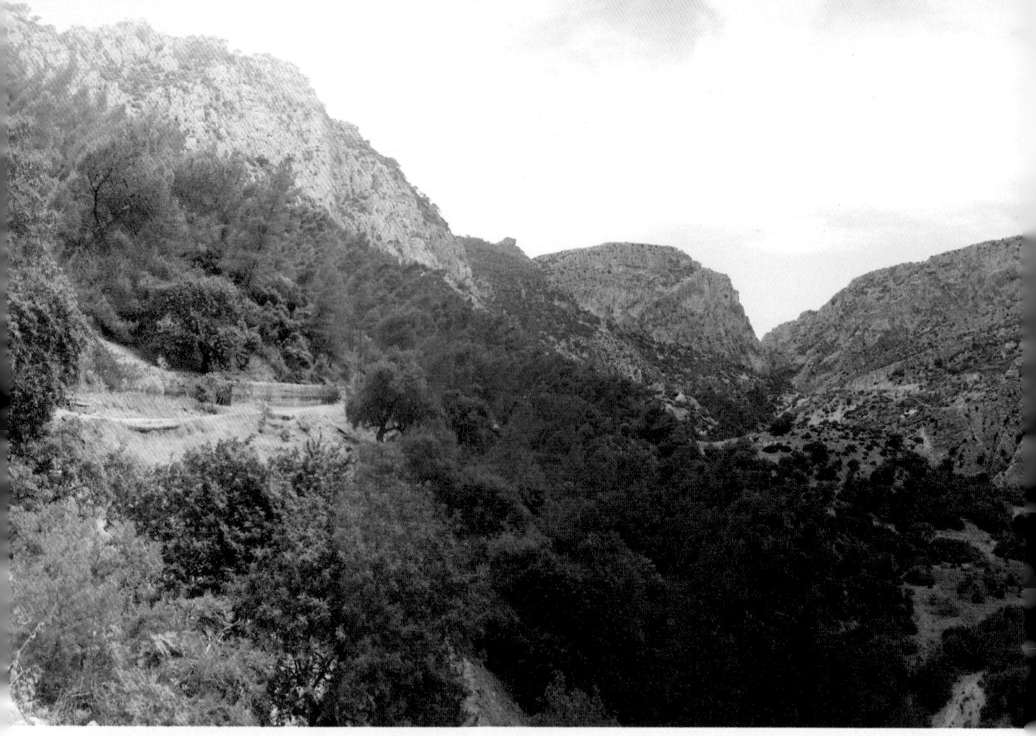

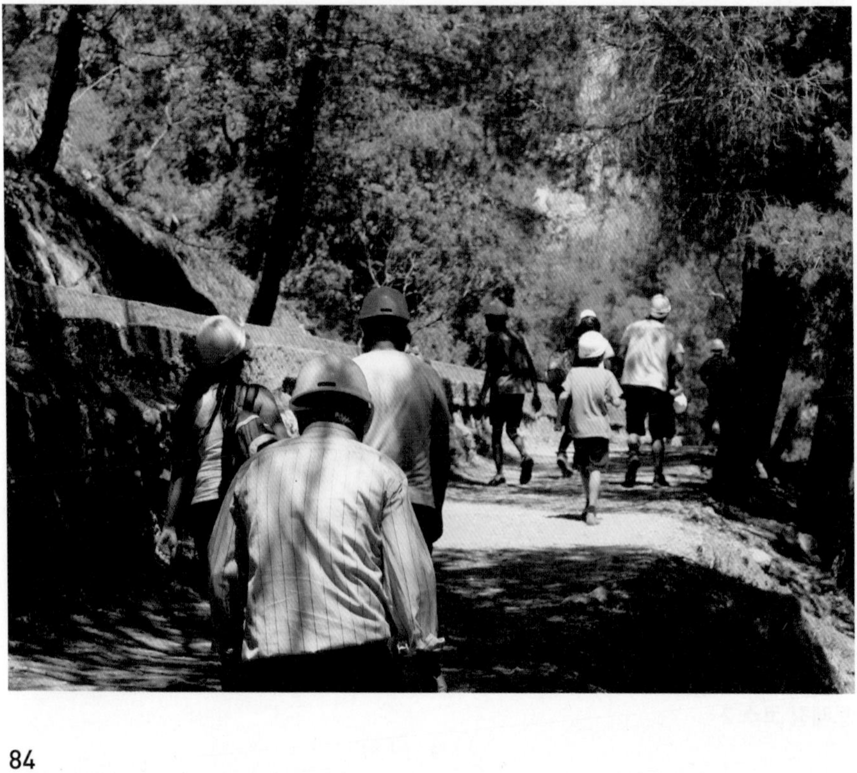

왕의 오솔길을 걷는 트레커들이 벤치에 앉아 쉬면서 챙겨온 음식을 먹으며 담소를 나누는 장면은 인상적이었다. 여유로운 그들을 보며 부럽기도 했다.

배가 고프기 시작했다. 음식을 챙겨올 걸 하는 후회가 밀려왔다. 중간에 쉬면서 가방을 벗으니 어깨에 밴 땀의 흔적은 음식도 귀찮다고 느껴지게 만들었다. 하지만 이내 미리 준비해 가지 못한 점심을 후회했고 먹고 있는 그들이 마냥 부러웠다.

여름에 방문한다면 물을 꼭 챙겨야 한다. 또한 되도록 가벼운 가방을 준비하고 일행이 있다면 하나의 가방을 나누어 매면서 걷는 것도 좋은 방법이다. 특히 낮 시간에는 매우 뜨겁게 작열하는 태양을 피하며 걸을 것을 추천한다.

뜨거운 햇살 아래 몸은 지치고 힘들어 아무 생각이 없을 즈음, 비둘기가 갑자기 날아올랐다. 비둘기를 보다가 나도 모르게 발을 헛디뎌 미끄러졌다. 그 자리에 주저앉은 나를 보고 다들 "Are you Okay?"라고 물어봤다. 나는 괜찮다고 대답했지만 정신이 번쩍 들었다.

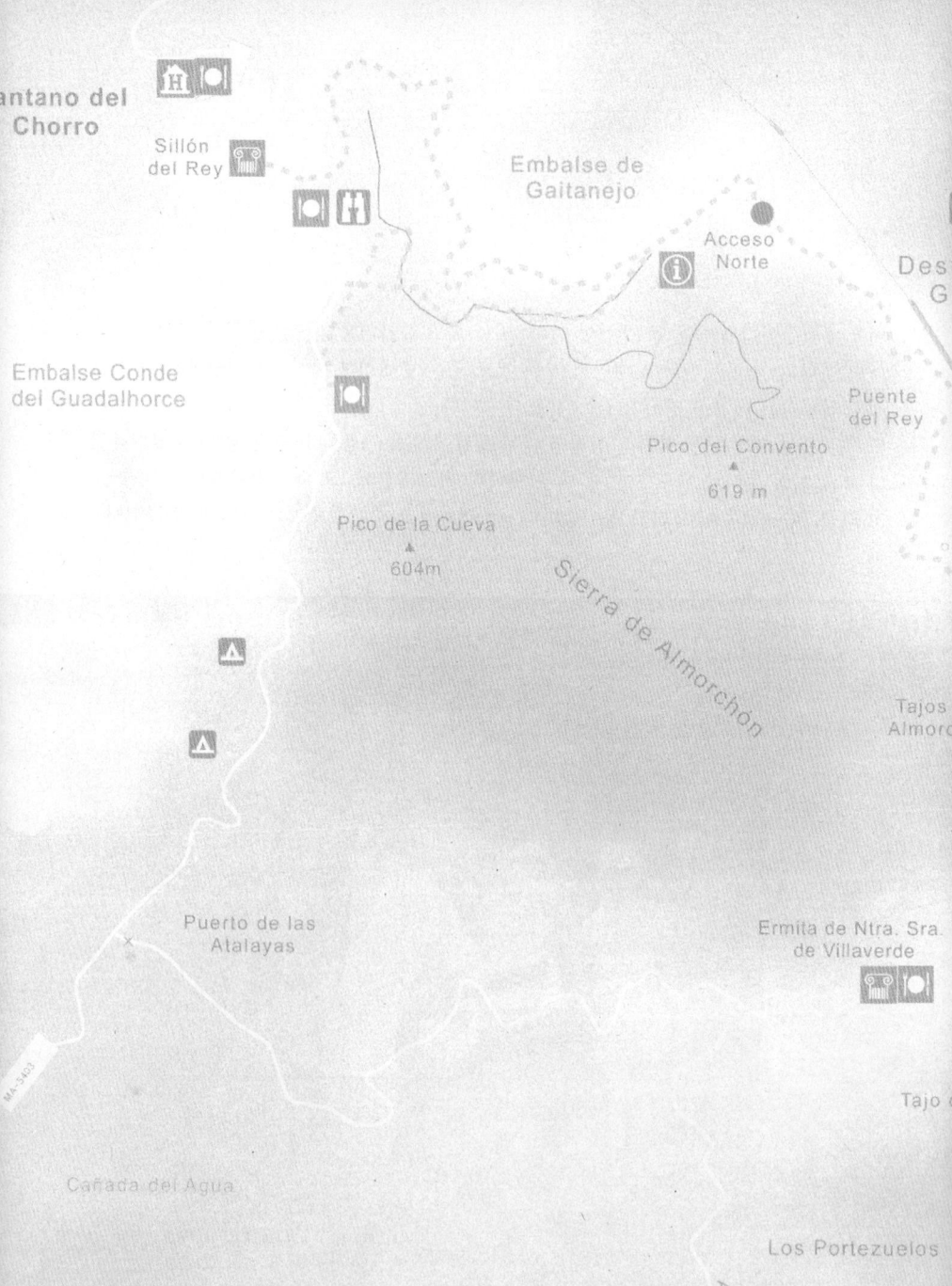

ntano del
Chorro

Sillón
del Rey

Embalse de
Gaitanejo

Acceso
Norte

Des
G

Embalse Conde
del Guadalhorce

Puente
del Rey

Pico del Convento
▲
619 m

Pico de la Cueva
▲
604m

Sierra de Almorchón

Tajos
Almorc

Puerto de las
Atalayas

Ermita de Ntra. Sra.
de Villaverde

Tajo

Cañada del Agua

Los Portezuelos

A Bobastro

Bobastro
(Iglesia Rupest

왕의 오솔길
코스 3

다시 절벽

조금은 쉬웠던 두 번째 코스가 끝나고 세 번째 코스로 접어드니 절벽이 나타났다. 다시 힘든 코스가 시작되었다.

앞서 가던 사람들이 발을 멈추고 물을 뿌리고 있었다. 그 물줄기는 바람을 타고 옆으로 날아갔다. 우리도 물을 뿌리면서 사진을 찍어보았다. 하지만 너무 강한 바람 때문에 날리는 물줄기를 사진으로 담아내기가 쉽지 않았다. 물 뿌리기를 계속하면서 사진 찍기를 반복했다. 결국에는 마실 물까지 다 뿌려버렸고, 옷도 젖었다. 젖은 옷 사이로 바람이 부니 시원함이 느껴졌다. 더위를 식히려는 목적은 아니었지만 이렇게 더위를 식히고 나니 발걸음이 한결 가벼웠다.

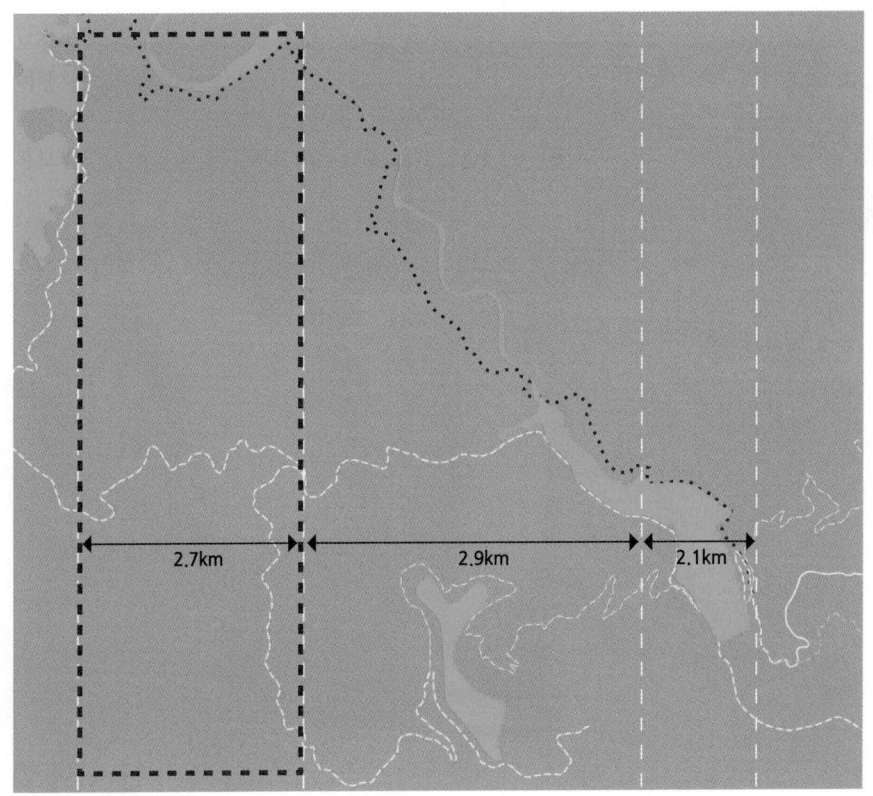

트레킹 코스 3

절벽에 붙어 있는 지도를 보니 거의 끝지점에 와 있었다. 멀게만 느껴지던 길이 끝나가다니…….
산티아고는 인내의 시간으로 고통을 참으며 걸었다면 왕의 오솔길은 모험과 즐거움의 연속이라 지루할 새가 없었다. 그런데 벌써 끝이 보이다니 아쉬웠다. 멀리 댐이 보이기 시작했다.
가까이서 보니 댐은 의외로 작았다. 이 작은 댐을 보기 위해 왕이 왔었다니! 의아하긴 했지만 생각해보면 1910년대라는 아주 옛날이라면 댐을 만드는 기술이 발달하지 않았을 테니 댐을 만드는 것만으로도 대단할 수 있겠다는 생각도 들었다.
또한 상류의 댐에서 물을 막아 말라가 지방을 홍수의 피해에서 벗어날 수 있게 해줘 스페인에게는 고마운 댐이었다고 한다.

댐 주변에 다다르니 출발했던 곳과는 다른 입구와 새로운 안내소가 나왔다. 여기가 왕의 오솔길의 끝이면서 또 다른 시작점이다. 끝이라는 소리에 긴장이 풀렸다. 다들 얼굴 가득 웃음을 머금고 왕의 오솔길을 지나온 이야기를 나누었다. 특히 가족들이 온 경우에는 아이들은 성취감을, 엄마는 자식에게 대견함을, 아빠는 가족간의 돈독한 관계를 뿌듯하게 느끼는 것처럼 보였다. 한참을 쉬었다가 돌아가기 위해 안내소에 어떻게 나가는지 물어보았다.

우리는 직원의 답변을 듣고 그 자리에 주저앉을 뻔했다. 어떻게 나가긴 다시 걸어서 돌아가라는 퉁명스러운 말투에 힘이 빠졌다. 힘들게 걸은 길을 다시 돌아가야 한다니!

택시를 타고 가는 방법도 있었다. 하지만 택시를 타려면 한참을 가야 하니 걸어가는 편이 더 수월하다고 한다. 다른 이들은 아무렇지도 않은 듯 쉬지도 않고 돌아간다. 한숨만 나오더니 이제는 어이없는 웃음만 나온다. "그래, 빨리 가서 쉬자?"라는 소리에 벌떡 일어나 다시 걷기 시작했다.

2015년 3월 왕의 오솔길 개장 그 이후

치명적인 매력의 스페인, 그 곳에 뜨고 있는 모험으로 가득 찬 떠오르는 신비의 길, 왕의 오솔길이 개장한 후 같은 해 5월에 왕의 오솔길을 다녀오고 나서 올해 다시 다녀왔다. 개장 이후 왕의 오솔길이 어떻게 변했는지 알고 싶었다. 왜냐하면 왕의 오솔길은 상생의 길로 오랜 시간동안 현지의 숙박업소와 관련 업계의 의견을 수렴해 만든 길이다.

2015년에 가장 위험한 길에서 가장 아름다운 길로 변신한 스페인 "왕의 오솔길"은 현재 어떤 모습일지 궁금했다. 상생의 길로 만들어진 길이다 보니 왕의 오솔길이 엘 초로 협곡을 살리는 현장을 직접 보고 싶었다. 그리고 현장을 보고 환호를 질렀다. 현재 왕의 오솔길은 매년 찾아오는 관광객이 늘어나고 있고 인근의 숙박과 관광산업은 성장하고 있다.

스페인에 산티아고 순례길만 있는 것이 아니다. "산티아고 순례길"이 가장 경건한 길이라면 "왕의 오솔길"은 가장 아름다운 짜릿한 길이다.

2015년 3월 29일

스페인의 '왕의 오솔길'이 폐쇄된 지 15년 만인 2015년에 문을 열었다. 최근 스페인 정부가 3월 29일부터 열리는 성주간(홀리 위크) 축제 '세마나 산타'(semana santa)에 앞서 26일부터 엘로코 협곡에 있는 '왕의 오솔길'을 재개방했고 약 4년이 지났다. 지금 왕의 오솔길은 스페인 안달루시아의 산악지역인 엘 초로(El Chorro)지역을 되살리고 있다. 산악지역에 관광객이 찾아오면서 일대의 숙박과 음식점이 늘어나고 있고 개선 작업이 지속되고 있다.

왕의 오솔길은 짜릿하지만 위험한 길이기 때문에 구간 구간마다 안전요원이 있고 자연을 보호하기 위해 지속적으로 왕의 오솔길은 관리되어야 하기 때문에 통행료(10유로)가 징수된다. 개장 시간은 오전 10시부터. 3월 중에는 오후 2시까지 개방되지만 4월 1일부터 10월 31일까지는 오후 5시까지 연장되고 그 후부터는 다시 오후 2시까지 개방된다.

최초의 왕의 오솔길

왕의 오솔길은 1901년에 기공하여 1905년에 완공되어진 안달루시아 지방의 엘로코 협곡 근처 과달오르세강 협곡에 있다. 수력발전소 건설 노동자들이 초로 폭포와 가이타네조 폭포 사이에 있는 절벽 사이에 만들어진 좁은 길을 연결해 수력발전소를 짓기 위한 노동자들의 이동통로로 만들어 졌다.

물자 수송과 이동을 위해 임시로 만들어진 것으로 1921년 스페인 알폰소 13세가 댐 건설을 축하하기 위해 이 길을 건너게 되면서 "왕의 오솔길(The Kings little pathway)"이라는 거창한 이름이 붙여졌다. 그러나 이후 약 80여 년 간 보수가 제대로 이뤄지지 않아 '세계에서 가장 위험한 길'이라는 악명을 얻게 되는 상황까지 이르렀다.

스페인 안달루시아(Andalusia)
스페인 반도의 가장 밑에 위치한 안달루시아 지방은 알메리아, 까디스, 코르도바, 그라나다, 우엘바, 하엔, 말라가, 세비야의 8개 주로 구성되어 있다. 아프리카 대륙과 가장 가까운 위치에 있어 날씨가 좋아 열정과 여유가 공존하는 땅이다.

악명과 모험의 줄타기

오히려 이런 악명은 스릴과 모험을 추구하는 사람들의 관심을 끌었다. 내로라하는 등반객 사이에서는 왕의 오솔길이 반드시 들러야 할 필수 코스처럼 여겨지게 된 것이다. 일부러 절벽 위나 콘크리트 패널이 떨어져 나가 녹슨 철골만 남은 위험한 곳만 골라가며 이 길을 건너는 이들이 늘어났다. 지금까지 이 길을 건너다 20명이 사망했으며 1999년 ~2000년에는 4명이나 사망자가 발생했다고 알려져 있다. 이런 위험성에 스페인 정부는 무단 침입 시 600유로(약 71만원)라는 벌금을 물게 하며 2000년부터 출입구를 폐쇄했던 것이다.

그럼에도 모험을 즐기는 사람들의 발길이 끊이지 않자 생각을 바꿔 스페인 정부는 대대적인 보수 작업을 거쳐 정비한 뒤, 덜 위험하게 만들어 관광 상품화하기로 한 것이다. 현지 보도에 따르면 왕의 오솔길을 정비하는 데 지금까지 550만 유로(65억 6700만 원)의 거액이 들어갔다고 한다.

카미니토 델 레이(El Camino Del Rey)

암벽 등반의 명소로 엘 초로(El Chorro)의 절벽에 만들어져 있기 때문에 등반 목적의 관광객이 자주 방문한다. 안달루시아 지방의 말라가 주 알로라(Alora) 근교의 과달오르세 강을 따라 화강암 협곡에 있다. 스릴과 공포를 이겨내야 만날 수 있는 치명적인 절경을 가지고 있다.

왕의 오솔길의 정식명칭은 '엘 카미니토 델 레이(El Camino Del Rey)'로 스페인 남쪽 끝의 안달루시아에 위치한 엘코로 협곡의 마기노드로모(Makinodromo)로 가는 길에 위치해 있다. 전체 길이는 약 7.7km이며 이 중 2.9km가 나무 패널로만 이뤄져 있다. 수백 미터 깊이의 아찔한 협곡은 "왕의 오솔길"의 핵심코스이다. 또한 클라이머들을 비롯해 일반 여행객들도 스릴을 즐길 수 있도록 보수 공사가 진행되어 세계에서 가장 위험한 길에서 세계에서 가장 짜릿한 트레킹 코스로 탈바꿈되었다.

방문객들은 높은 곳, 절벽 등을 보러 끊이지 않고 찾아오고 있는 왕의 오솔길은 산티아고 순례길을 뒤이어 스페인을 대표하는 길로 인기가 올라갈 것으로 기대하고 있다.

스페인

지도

유럽의 남서부에 있는 이베리아 반도에 위치한 스페인은 지브롤터 해협을 사이에 두고
아프리카와 마주하고 있다.

[국기   ]

노랑은 국토, 빨강은 국가를 지키기 위해 흘린 피, 문장은
이베리아 반도에 있던 다섯 왕국의 문장을 조합하였다.

[한눈에 보는 스페인 역사]

스페인 사람들은 서유럽의 다른 민족들보다 피부색이 검고, 곱슬머리와 검은색이나 갈색
머리칼이 많다. 아프리카와 유럽, 지중해 주변에서 건너온 사람들이 혼혈을 이루고 약
800년 동안 이슬람 왕조의 지배를 받으면서 아랍 인종과도 섞여 살았기 때문이다.

▶기원전 3000년~기원후 411년 이베로족과 켈트족의 융합

이베로족은 기원전 3000년경 아프리카에서 건너왔다. 기원전 800년경에는 중부 유럽에
살던 켈트족이 내려와 살았다. 그 뒤 기원전 500년경에 페니키아인과 그리스인들이 이
베리아 반도에 도시를 건설했다. 이후 힘이 세진 로마가 이베리아 반도를 포함한 지중
해 지역을 손에 넣었다. 이때부터 스페인 땅은 로마의 지배를 받게 되었다.

▶411년~711년 스페인 최초의 통일 왕국인 서고트 왕국

게르만족이 이동해 오면서 로마 제국은 힘이 약해졌다. 이때를 틈타 게르만족의 한 갈
래인 서고트족은 이베리아 반도에 왕국을 세웠다. 하지만 711년 북아프리카에서 침입
한 무어인들에게 패해 서고트 왕국은 멸망하였다.

▶711년~1492년 이슬람 왕조 800년

이슬람교를 믿는 무어인들이 들어와 스페인 땅을 지배하기 시작했다. 남부 코르도바를
중심으로 독립 왕국인 '알안달루시아'를 건설했다. 무어인들은 당시 유럽 문명보다 과
학, 기술, 문화가 발달했다. 이때 상업과 수공업이 발달하면서 스페인 문화에 스며들었
다. 이슬람 왕조 때의 위대한 학자로 이븐루시드가 있다. 그는 법학, 철학, 의학 등 여러
분야에서 그리스의 철학자 아리스토텔레스의 책들을 연구해 아랍어로 번역하고 유럽에
소개했다.

※레콘키스타와 스페인 왕국의 통일

이슬람 왕조는 처음에는 이베리아 반도 대부분을 점령했다. 북쪽으로 밀려났던 스페인
왕국은 서서히 힘을 키워 다시 점령지를 넓혀갔는데 이를 국토회복운동, '레콘키스타'라

고 한다. 그 중심에 섰던 카스티야 왕국과 아라곤 왕국은 두 왕국을 통일하고 1492년에 마침내 이슬람 왕조를 무너뜨렸다. 이로써 스페인 통일 왕국이 태어났다.

▶1492년~1812년 대항해 시대

여러 왕국으로 나뉘어져 있던 스페인 왕국들이 합쳐지면서 카스티야 왕국의 이사벨 여왕과 아라곤 왕국의 페르난도 2세는 결혼을 통해 두 왕국을 통일시켰다. 이후 콜럼버스의 아메리카 대륙 발견으로 엄청난 부와 영토를 얻게 되었고 유럽과 라틴 아메리카, 동남아시아에 이르는 넓은 영토를 확보했다. 그러나 펠리페 2세 때부터 영국, 프랑스와 여러 번의 전쟁을 거치면서 대부분의 식민지를 잃고 쇠퇴하기 시작했다.

▶무적함대, 대항해 시대

스페인은 이슬람 왕조를 몰아낸 뒤로 크게 발전해 나갔다. 콜럼버스가 아메리카 대륙을 발견하면서 대항해 시대가 펼쳐졌다. 아메리카 대륙 곳곳을 식민지로 삼으면서 한때는 세계 최강의 해군인 무적함대를 자랑하였다.

스페인이 통일을 이룰 무렵, 유럽은 난처한 상황이었다. 오스만 제국이 지중해를 가로막는 바람에 동양과 교류하던 교역로가 막혀버렸다. 유럽인들은 바닷길을 개척하였는데 그 선두에 섰던 나라가 바로 포르투갈과 스페인이다.

아메리카를 발견한 콜럼버스

콜럼버스는 이탈리아 출신의 뱃사람으로 스페인의 이사벨 여왕에게 대서양 횡단을 지원해달라고 청해 승낙을 받아냈다. 서쪽으로 항해한 끝에 육지를 발견했는데 인도라고 착각했다.

실제로 도착한 곳은 중앙아메리카의 산살바도르 섬이었다. 콜럼버스는 유럽인으로는 처음으로 아메리카를 발견했지만, 죽을 때까지 이곳을 인도라고 생각하였다. 그래서 오늘날 콜럼버스가 도착했던 섬 주변을 서인도 제도라고 부른다.

※아메리카를 정복한 스페인
스페인은 아메리카에 있던 나라들을 정복하고 엄청난 양의 금과 진귀한 물건들을 빼앗았다. 또, 사탕수수 농장을 만들어 설탕을 생산해 이를 유럽 여러 나라에 비싼 값으로 팔아 어마어마한 돈을 벌어들였다. 아메리카에서 고구마, 토마토, 카카오, 옥수수, 감자, 고추, 담배가 전해지면서 유럽인들의 삶도 변화하게 되었다.

※스페인의 무적함대
스페인은 지중해를 통해 유럽을 공격해 오던 오스만 제국과 레판토 해전을 벌여 크게 이겼다. 이로써 스페인 해군은 '무적함대'라고 불리게 되었다. 하지만 펠리페 2세는 영국을 점령하기 위해 나섰다가 크게 패배하고 말았다. 이 전쟁의 패배로 스페인의 힘은 약화되었고 대항해 시대의 주도권이 영국으로 넘어갔다.

▶1812년~1975년 프랑코 독재시대
1812년 스페인 최초의 헌법을 만들어 절대군주제가 입헌군주제로 바뀌었다. 그 후 1873년에 왕이 다스리지 않는 최초의 공화국을 세웠다. 하지만 1936년 프랑코 장군이 군사 반란을 일으켜 스페인 내란이 일어났다. 1939년 프랑코 장군의 군대가 승리하고 이후, 1975년까지 36년 동안 프랑코의 긴 독재가 이어졌다.

※프란시스코 프랑코(1892~1975)
국민군의 지도자로 스페인 내란에서 승리한 후 정권을 잡았고, 제2차 세계대전에서 파시스트 정부가 집권한 독일과 이탈리아를 도왔다. 죽을 때까지 스페인 정부의 총통을 지냈다.

▶1975년~현재 민주화의 성공과 발전, 금융위기
1975년 프랑코 사망 후 스페인은 입헌군주제를 채택했다. 이후 정당 활동이 자유롭게 보장되었고 정치도 안정되었다. 1986년 유럽연합에 가입했으며 1992년 바르셀로나 올림픽을 훌륭히 치른 후에 경제적으로 성공한 나라로 발돋움했다. 그러나 2008년 미국의 금융위기 이후 스페인은 재정위기로 힘들어하고 있다.

※관광업의 비중이 큰 스페인
관광업은 스페인의 전체 GDP 중에 20%를 넘는 큰 비중을 차지하고 있다. 또한 유럽 최대의 농업국가로 포도, 올리브, 오렌지, 레몬 등을 많이 생산하고 있다. 특히 레몬은 전 세계에서 5번째로 생산량이 많고, 올리브는 매년 생산량이 약 50만 톤에 이른다. 상대적으로 공업은 다른 유럽 나라들에 비해 경쟁력이 떨어져 지금도 경제위기로 힘든 시간을 보내고 있다.

※계속되는 지역 분쟁

스페인은 지역 분쟁이 매우 심한 나라 중에 하나다. 특히 바스크와 카탈루냐 지역은 항상 독립을 원하는 지역으로 자신들의 고유 문화에 대한 자부심이 강하고 지역 언어를 사용하고 있다. 역사적으로 주변 이민족들의 침략을 많이 받아 다양한 민족으로 구성되었기 때문이다.

지형과 기후

험준한 산이 많고 따뜻한 이베리아 반도

이베리아 반노는 피레네 산맥이 남북으로 가로막아 자연스럽게 프랑스와 국경을 형성하고 있다. 남부는 반도와 섬이 많아 해안선이 복잡하고 북부는 고원으로 형성되어 있다. 스페인은 대체로 여름에는 덥고 건조하며, 겨울에는 비교적 따뜻하고 비가 자주 내리는 지중해성 기후가 나타난다. 하지만 땅이 넓어 지역에 따라 기후가 다양하다. 지중해 연안인 스페인의 남동부는 1년 내내 따뜻하지만 마드리드 위쪽의 중부 지방은 더운 여름과 추운 겨울의 기온 차이가 크다.

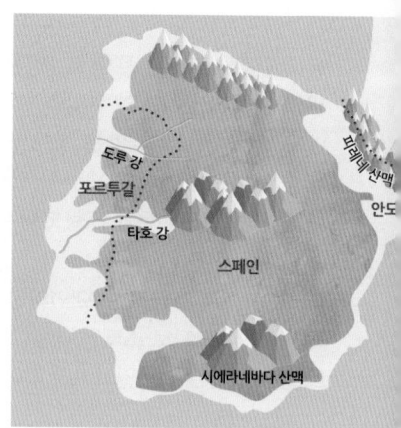

의·식·주

의(衣)

스페인의 전통 옷은 색이 화려하고 정열적인데, 플라멩코로 유명한 안달루시아 지역의 옷이 가장 화려하다. 안달루시아 지역의 여성들은 치마 밑부분과 소매에 물결 모양의 주름 장식이 여러 겹 있는 드레스를 입는다. 드레스는 매우 다양하고 꽃, 점 등의 무늬로 화려하게 장식되어 있다. 이 드레스는 일반인들도 입지만 지금은 플라멩코를 추는 무용수들이 입고 있다. 남성은 앞여밈이 짧은 주름 장식이 달린 블라우스에 다양한 색상의 짧은 윗옷이나 조끼를 입고, 허리 부분이 몸에 붙는 형태에 검은색으로 치장된 바지를 입는다.

식(食)

따뜻한 지중해성 기후인 남부지방은 해산물이 풍부하고 토마토와 올리브가 많이 생산되어 음식에도 빠지지 않고 들어간다. 음식에 올리브유를 넣거나, 토마토를 끓이고 갈아서 채소와 고기 등의 여러 재료를 넣어 소스로 사용하는 것이 특징이다.

후추, 마늘, 고추, 생강 등 향이 강한 향신료를 사용하는 음식이 많은데, 다른 유럽인들과 달리 마늘을 매우 좋아한다. 목축을 많이 하는 카스티야 지역은 양고기나 돼지고기를 이용한 육류 요리가 발달하였다. 지중해 연안은 스페인 최대의 쌀 생산지며 다양한 해산물을 쉽게 구할 수 있다. 발렌시아 지방은 쌀과 해산물을 주재료로 하는 파에야가 발달했다. 날씨가 더운 안달루시아 지방은 차갑게 해서 먹는 수프인 가스파초를 많이 먹는다.

주(宙)

남부 스페인은 지중해성 기후로, 지중해의 파란색과 대비되도록 모든 벽이 하얀색으로 칠해진 마을을 볼 수 있다. 지중해는 햇빛이 하루 종일 비치기에 하얀색이 빛을 반사하여 집을 진한 색으로 칠했을 때보다 시원해 보인다. 반면에 북부 스페인은 추위를 막기 위해 집을 'ㅁ'자 모양으로 지었다. 남부의 안달루시아 지방도 'ㅁ' 자로 집을 지었는데 밖에서 들어오는, 햇빛을 막아서 집 안을 시원하게 하기 위해 복도를 만들어 여름에는 그늘을 만들고, 비가 오는 겨울에는 비를 맞지 않고 집 안을 이동할 수 있도록 설계했다.

낮잠 자는 시간 '시에스타'

남부 유럽은 거의 하루 종일 뜨거운 햇볕이 내리쬐는 지역이다. 특히 한낮에는 일하기가 힘들 정도로 매우 더워서 스페인 남부지방에는 점심식사를 한 뒤에 2~3시간 정도 낮잠을 자는 풍습이 있다. 낮잠으로 원기를 회복한 뒤에 저녁까지 열심히 일하기 위한 것으로, '시에스타'라고 부른다.

지중해성 기후를 가진 나라들은 대부분 시에스타가 있는데 시간은 조금씩 다르다. 그리스는 오후 2~4시, 이탈리아는 오후 1~3시, 스페인은 오후 1~4시 사이다. 스페인은 시에스타 때문에 경제적으로 손해가 크다는 판단하에 공무원의 시에스타를 없애면서 농촌 지역을 제외하고 점차적으로 사라지고 있다.

산티아고 대성당

유네스코 세계문화유산

그라나다의 알함브라
스페인의 남부지방을 지배한 이슬람의 마지막 왕조가 지은 건축물로, 그라나다를 대표하는 궁전이다. 그라나다를 한눈에 볼 수 있는 구릉 위에 세워진 알함브라는 궁전, 정원, 요새로 이루어져 있는데, 궁전의 장식이 매우 섬세하고 아름다워 이슬람 문화의 뛰어난 예술을 엿볼 수 있다.

산티아고 데 콤포스텔라
스페인의 작은 도시지만 산티아고 순례길의 마지막 종착지로 유명하다. 예수의 제자 중한 명인 야곱이 크리스트교를 전파하려다 순교한 곳으로 알려져 있다. 10세기에 이곳에서 야곱의 유해가 발견된 뒤, 산티아고 데 콤포스텔라는 예루살렘과 로마에 이어 유럽의 3대 성지 순례지가 되었다. 여기에는 대성당, 수도원 등 중세 시대의 건물들이 많이 남아 있는데 특히 야곱을 기리며 세운 대성당이 가장 유명하다.

톨레도 구시가지
톨레도는 과거 스페인의 중심지였던 도시로 서고트 왕국, 이슬람 왕국, 크리스트교 왕국의 수도로 번영을 누렸다. 고딕양식으로 지어진 톨레도 대성당과 이슬람과 고딕양식이 혼합된 톨레도 성 등 다양한 양식의 유적들이 남아 있다.

알타미라 동굴
알타미라는 스페인 북부의 칸타브리아 주에 있는 동굴 유적으로 동굴 벽에는 들소와 매머드, 사슴 등 당시의 동물들이 생동감 있게 그려져 있다. 이 벽화를 통해 구석기 시대의 사냥 방법과 무기, 예술의 수준을 알 수 있다.

알타미라 동굴 벽화

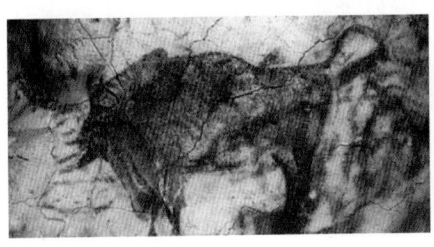
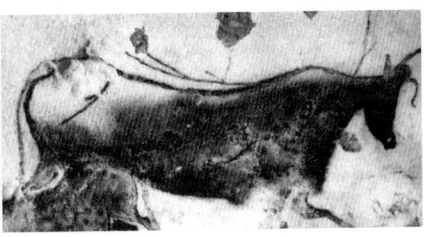

예술과 인물

피카소(1881~1973)

피카소는 20세기 초 입체주의 미술을 대표하는 화가로, 스페인의 말라가에서 태어났다. 그는 어려서부터 그림 그리는 것을 좋아해 14세 때 미술 학교에 입학했다. 피카소는 르누아르, 뭉크 등 유명 화가들의 그림을 보며 공부하다가 1904년에 프랑스 파리의 몽마르트로 가서 다른 화가들과 교류하며 작품 활동을 했다.

그 후 입체주의의 선구작인 〈아비뇽의 처녀들〉을 완성했다. 5명의 벌거벗은 여인들을 그린 이 그림은 다른 화가들이 그렸던 여인들의 모습과는 달랐다. 여인들의 얼굴은 정면인데 옆 얼굴을 함께 그려 여인의 양쪽 눈이 삐뚤어져 있거나 코가 옆에서 본 것처럼 그려져 있었다. 피카소는 눈에 보이는 부분뿐만 아니라 눈에 보이지 않는 부분도 그려야 한다고 생각하였는데, 이것이 입체주의의 특징이 되었다.

피카소는 입체주의를 더욱 발전시켜 미술계에 영향을 주고 1973년에 세상을 떠날 때까지 〈게르니카〉, 〈우는 여인〉 등 유명한 그림을 남겼다.

〈아비뇽의 처녀들〉

그림 속의 여성들은 눈, 코, 입의 위치며 몸의 모양이 마구 뒤틀려 있다. 피카소는 이 그림을 그릴 때, 얼굴 형태를 단순하면서도 강렬하게 묘사한 아프리카 가면의 영향을 받았다.

〈게르니카〉

마드리드의 국립 소피아 왕비 예술 센터에는 피카소의 〈게르니카〉가 있다. 〈게르니카〉는 바스크 지방의 작은 도시인데, 1937년 스페인 내란 중에 프랑코를 돕는 독일의 폭격을 받아 폐허가 되었다. 이때 많은 사

람이 죽거나 다쳤다. 피카소는 이 소식을 듣고 한 달 반 만에 〈게르니카〉를 완성하였다. 〈게르니카〉는 커다란 벽화로 전쟁의 무서움, 사람들의 분노와 슬픔을 격정적으로 표현한 작품이다.

미로(1893~1983)
바르셀로나 출신의 미술가로 바르셀로나의 자유로운 기운이 느껴지는 밝고 가벼운 색을 주로 사용해 사물을 소박하고 단순한 기호로 표현한 초현실주의 작품을 그렸다.

〈어릿광대의 사육제〉
단순한 색과 기호로 사육제의 모습을 그려 넣어 풍부한 상상력이 넘쳐나는 동심의 세계가 느껴진다.

달리(1904~1989)
바르셀로나에서 미술 공부를 하고 환상으로 가득한 그림을 그렸다. 평범한 물건들을 기괴한 모습으로 표현하면서 꿈에서나 볼법한 장면을 그려냈다. 초현실주의 화가의 대표이다.

〈내란의 예감〉
스페인 내란이 일어나기 1년 전에 전쟁을 예감하고 그린 그림으로 전쟁의 참혹함이 그대로 묻어난다.

로마 카톨릭과 이슬람 문화가 혼합된 스페인

이국적인 분위기

유럽의 서남쪽, 이베리아 반도에 위치한 스페인은 투우와 플라멩코로 상징되는 정열적이고 쾌활한 분위기를 가지고 있다. 스페인은 유럽에 속해 있으면서도 다른 유럽 나라들에 비해 이국적인 느낌이 나는 나라다. 로마 카톨릭과 이슬람의 건축양식을 혼합해 놓은 사그라다 파밀리아 성당이나 남부 안달루시아 지방의 집들을 보면 알 수 있다.

스페인이 이러한 특징을 가지게 된 것은 8~15세기까지 북부 아프리카의 이슬람에 지배받았기 때문이다. 스페인의 일부 지역을 점령한 이슬람은 예술과 과학을 발전시키고, 생활 곳곳에 영향을 주었다. 이처럼 카톨릭 문화와 이슬람 문화가 오랫동안 공존하고 섞이면서 스페인은 유럽 국가이면서도 유럽적이지 않은 독특한 색채를 지니게 되었다.

스페인은 우리에게는 TV 프로그램 〈꽃보다 할배〉에 나오면서 친숙해졌다. 지금은 유럽에서 가장 인기 있는 여행지가 되었지만 5년 전만 해도 치안이 불안하다고 하여 유럽 배낭여행지에서 빠지기도 했다. 이슬람교, 카톨릭교, 유대교의 다양한 문화가 뒤섞여 스페인의 넓은 영토에 퍼져 있고, 지중해를 낀 아름다운 해변과 섬이 많아 몇 번을 방문해도 새로운 분위기를 느낄 수 있다. 특히 이슬람의 지배를 받았던 남부지방에 가면 건물벽이 화려한 무늬의 타일로 장식된 것을 볼 수 있는데 이는 이슬람 건축양식의 영향을 받은 것이다. 서양인들에게는 스페인 남부지방이 휴양지로 인기가 많다.

Madrid

마드리드

10세기, 당시 스페인의 수도 톨레도를 방어하기 위해 성을 쌓으면서 마드리드의 역사가 시작되었다. 카톨릭 세력인 카스티야의 왕 알폰소 6세가 마드리드를 이슬람 세력으로부터 탈환하였고, 이후 1561년 펠리페 2세가 성에 궁전을 짓고 수도를 톨레도에서 마드리드로 옮기면서 스페인의 정치, 문화의 중심지로 성장하였다.

MADRID

마드리드 IN

예전에는 야간열차를 타고 바르셀로나 또는 파리에서 마드리드로 많이 들어왔는데 지금은 야간열차가 없어지고 주간열차만 운행하고 있다. 바르셀로나에서 출발하는 열차를 제외하면 대부분의 열차는 마드리드 차마르틴역Estacón de Chamartín에 도착한다. 차마르틴역은 우리나라의 서울역이라고 보면 된다. 요즘은 저가항공을 타고 들어와 스페인만 여행하는 경우가 많아졌는데 이때도 공항에서 가까운 차마르틴역을 많이 이용한다. 차마르틴역은 도심 중앙에서는 북쪽으로 떨어져 있는 편이지만 여행 안내소는 물론이고 환전소, 코인로커, 우체국, 전화국, 레스토랑, 슈퍼마켓 등 모든 편의시설이 갖추어져 있다. 근처에는 호텔이 많아 우리나라에서 이용하는 패키지여행의 호텔은 대부분 이곳에 위치한다.

세비야에서는 고속열차AVE를 이용해 들어올 수 있다. 파리에서 마드리드로 들어오는 경우, 일반 열차를 타고 들어오면 유럽의 다른 나라들과 스페인 철로의 궤도넓이가 달라 프랑스와 스페인의 국경역인 이룬Irun에서 열차를 갈아타야 한다.

파리 | Paris
파리에서 마드리드나 바르셀로나를 가는 직통 야간열차가 없어졌다. 그러나 여러 군데를 정차했다가 가는 야간열차는 이용할 수 있다. 이 야간열차는 파리 오스텔리츠역에서 출발해 다음날 아침 국경역인 이룬에 도착한다. 이때 이룬에서 마드리드로 출발하는 열차로 갈아타면 된다.

리스본 | Lisbon
리스본에서 야간열차를 이용해 들어올 경우, 리스본의 산타 아폴로니아역을 출발해 마드리드 차마르틴역에 도착한다.

세비야 | Sevilla
세비야에서는 시간마다 고속열차가 3시간만에 마드리드 아토차역으로 들어간다. 아토차역과 차마르틴역, 노르테역은 모두 시내를 관통하는 국철로 연결되어 있다.(유레일패스 이용 가능)

공항에서 마드리드 시내 IN

차마르틴역
지하철 10호선을 이용하면 시내 중심으로 갈 수 있다. 아침에 마드리드 차마르틴역에 도착한다면 역에서 간단히 아침을 해결하고 지하철을 이용해 숙소로 이동하면 된다.
배낭여행의 경우, 마드리드로 들어온 날 시내를 둘러보고, 당일에 야간기차나 저가항공으로 파리로 들어가기도 한다.

차마르틴역

마드리드를 하루만에 둘러볼 예정이라
면, 이동할 때 짐이 불편할 수 있으니 코
인로커에 짐을 보관한 후 마드리드 시내
를 둘러보도록 하자.
차마르틴역에 도착하면 기차에서 내린
후 플랫폼에서 오른쪽 아래로 내려가는
계단을 이용하여 지하철역으로 가자. 위

쪽 계단으로 올라가게 되면 지하철역으로 내려갈 때 무거운 짐을 들고 긴 계단을 내려가
야 한다.

차마르틴역

▶**여행 안내소** | 월요일~금요일 08:00~20:00, 토요일 08:00~13:00
▶**은행** | 08:00~22:00
▶ **코인로커** | 07:00~23:00, 크기별로 €5~5.50
▶**교통** | M-8 Chamartín B-5, 14

아토차역

▶**은행** | 08:30~22:00
▶**코인로커** | 07:00~23:00, 크기별로 €5~5.50
▶**교통** | 지하철 Atocha역 다음 정거장인 M-1 Atocha renfe에서 하차
　　　　B-10, 19, 24, 26, 27, 32, 34, 37, 54, 57, 102, 112

시내 교통

10회권을 이용하여 버스와 지하철Metro을 하나의 티켓으로 이용할 수 있다. 1회권을 이용하는 것보다 10회권을 이용하는 것이 편리하다. 10회까지 사용하지 않을 예정이라면, 같이 온 일행과 함께 구입해 나누어 사용하는 것이 좋다.

▶티켓 요금 : 1회권 €1.90(Zone A), 10회권 €15

지하철

지하철은 12개의 노선이 운영되고 있으며, 06:00부터 새벽 01:30까지 운행하기 때문에 늦은 밤에도 지하철을 많이 이용한다. 지하철역과 국철역은 연결되어 있어 원하는 곳은 어디든지 이용할 수 있다. 지하철 티켓은 지하철매표소, 자동판매기 등에서 구입할 수 있다.

버스

버스는 06:00~24:00까지 운행하며, 00:00~05:15의 심야시간대에는 나이트 버스Buhos를 운행한다. 정류장마다 자세하게 노선 안내가 되어 있기 때문에 쉽게 이용 가능하다. 혼자서 버스를 기다리다 보면 그냥 지나치는 경우도 있으니 기다리는 버스가 보이면 손을 들어 표시해주는 것이 좋다. EMT(마드리드 지역 버스회사)의 사무소, 홈페이지 등에서 자세한 버스 노선도를 구할 수 있다.

택시

빈 택시인지는 표시등의 왼쪽 Libre에 녹색불이 켜져 있는 것으로 구분한다. 기본요금은 2유로로 비싸지 않지만 마드리드 시내는 교통체증이 심해 택시요금이 많이 나오는 편이다. 기차역이나 공항에서는 대기수수료도 추가되어 가격이 비싸다.

베스트 코스

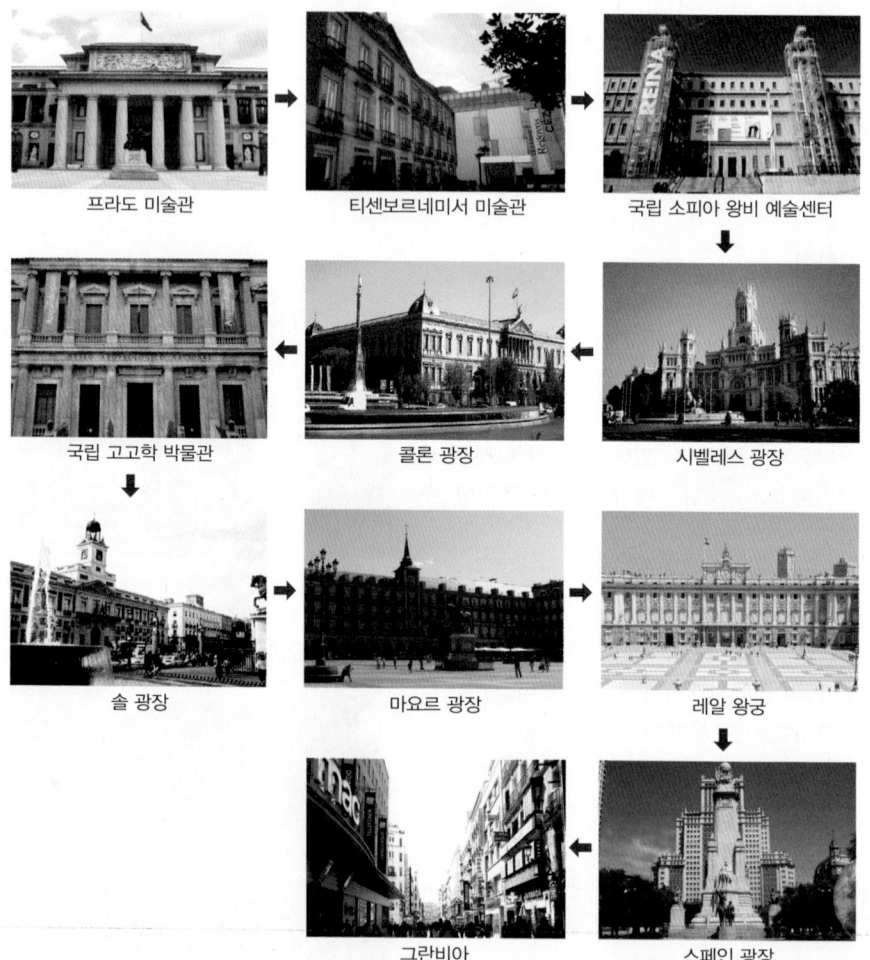

프라도 미술관 → 티센보르네미서 미술관 → 국립 소피아 왕비 예술센터

국립 고고학 박물관 ← 콜론 광장 ← 시벨레스 광장

솔 광장 → 마요르 광장 → 레알 왕궁

그란비아 ← 스페인 광장

핵심 도보 여행

마드리드는 스페인의 수도지만 바르셀로나보다 작아서 하루만에 다 돌아볼 수 있다. 하지만 프라도 미술관과 국립 소피아 왕비 예술센터, 티센보르네미서 미술관을 본다면 3일도 모자란다.

미술관과 박물관을 따로 돌아보고 마드리드 시내는 1일 정도 따로 돌아보는 것이 좋다. 미술관과 시내를 하루에 함께 둘러보면 금방 피로해지기 쉬우니 시내와 미술관을 분리하여 여행하자. 1일 동안 알차게 둘러볼 수 있는 코스를 알아보자.

일정
솔 광장 → 산타아나 광장 → 마요르 광장 → 산 미구엘 시장 → 비야 광장 → 레알 왕궁 → 알무데나 대성당 → 비스티야스 정원

솔 광장, 루에르타 델 솔은 우리나라의 명동과 같은 곳으로 마드리드 시민들의 만남과 휴식의 장소다. 솔 광장에서 새해 불꽃놀이도 시작되는데 이때가 아니어도 언제나 사람들로 북적거리기 때문에 이곳에서는 소매치기를 항상 조심해야 한다. 또한 9개의 도로가 시작되는 장소로, 중앙에는 시계탑이 있는 건물인 카사 데 코레오스Casa de Correos 바닥에 9개의 도로가 이곳에서 시작된다는 의미의 0km가 적혀 있다. 푸에르타 델 솔은 '태양의 문'이라는 뜻인데 태양이 항상 비추는 곳에 사람들이 몰리듯 솔 광장에도 늘 많은 사람으로 붐빈다.

솔 광장의 곰 동상

솔 광장의 분수

마드리드의 광장은 솔, 산타아나, 마요르 광장이 거의 붙어 있어서 구분하기가 쉽지 않다. 뿔처럼 높이 솟은 탑이 있는 건물과 가운데에 펠리페 3세의 기마상이 서 있는 장소가 마요르 광장이고, 곰 동상이 나오면 솔 광장이다.

산타아나 광장은 솔 광장에서 동쪽으로 내려가거나 마요르 광장에서 동쪽으로 직진하면 나온다. 1848년 이후에 지금과 같은 모습을 갖추게 되었다. 노천카페와 레스토랑들이 즐비해 점심이나 저녁을 즐기기에 좋은 광장이다. 호화 호텔인 메이어와 빅토리아 호텔이 있어 대중적인 느낌은 아니다.

매우 넓은 마요르 광장은 후안 고메스 데모라가 설계하여 1619년에 완성한 광장으로 마드리드의 상징이었다. 하지만 3차례의 화재로 대부분이 파괴되면서 솔 광장이 이 역할을 대신하였다. 1854년에 지금의 모습으로 탈바꿈하였으며, 마요르 광장에는 9개의 아치문이 있다. 그중 남쪽으로 향하는 쿠치예로스 문의 돌계단을 따라 가면 레스토랑과 술집들이 밀집되어 있어 다양한 먹거리를 즐길 수 있다. 우리나라의 강남역 같은 느낌이다.

산 미구엘 시장Mercado de San Miguel은 특이한 외관을 자랑한다. 통유리로 된 외관을 보면 시장이라기보다는 식당을 연상케 한다. 마드리드에서 먹을 수 있는 모든 음식들을 먹어볼 수 있는 곳으로, 1835년부터 마드리드를 대표하는 시장으로 이름을 알렸다. 대표적으로는 오징어튀김 샌드위치가 유명하다. 시장이라고 싼 가격을 기대했다면 실망이 클 수도 있다.

마요르 광장

산 미구엘 시장

비야 광장과 오리엔테 광장은 마드리드 사람들이 가장 아름다운 광장으로 꼽는 곳이다. 비야 광장의 동쪽에는 15세기의 루하네스 저택Casa de los Lujanes이, 남쪽에는 16세기 르네상스양식의 시스네로 저택Casa de Cisneros이, 서쪽에는 17세기 합스부르크 왕조의 바로크양식인 비야 저택Casa de la Villa이 있다. 이런 중세 건물들에 둘러싸여 있는 비야 광장은 밤에 더 운치 있게 즐길 수 있다.

산 미구엘 시장에서 왕립 극장으로 올라가면 오리엔테 광장이 나오고 레알 왕궁이 보인다. 왕궁은 공원과 함께 마드리드 사람들의 산소공급처 역할을 한다. 1931년까지 알폰소 13세가 살았던 궁으로 18세기에 화재로 소실되었으나 펠리페 5세가 화려하게 지으면서 지금에 이르렀다.

벨라스케스와 프란시스코 데 고야의 작품들과 화려한 시계들도 볼 수 있다. 왕궁을 보려면 적어도 1시간 이상은 소요되므로 하루의 마지막에 여유롭게 보는 것이 좋다.

왕궁 동쪽으로는 오리엔테 광장Plaza de Oriente, 북쪽으로는 사바티니 정원Jardines de Sabatini, 왕궁 정면에는 알무데나 대성당Catedral de la Almudena이 있으며, 왕궁과 알무데나 대성당 사이로 아르메리아 광장Plaza de Armeria이 있다.

오리엔테 광장 중심에는 펠리페 4세 기마상과 분수대가 자리하고 있으며, 주변에는 잘 가꾸어진 나무들과 스페인 왕국을 지배한 역대 국왕들의 동상이 있다. 이 광장에서는 거리의 음악가들이 펼치는 공연을 쉽게 볼 수 있다. 이탈리아 건축가 프란체스코 사바티니가 설계한 데서 이름 붙여진 사바티니 정원은 왕궁에 딸린 큰 정원으로 전형적인 프랑스양식이다. 왕궁이 베르사유 궁전을 본떠 만들었음을 확인할 수 있다.

왕궁과 마주보고 있는 알무데나 대성당은 약 1세기에 거쳐 완성되었다. 건물이 지어지는 동안 스페인 내전 등의 문제로 방치되었다가 다시 지어지면서 고딕양식에서 바로크양식으로 변경되어 지금의 모습이 되었다.

알무데나 대성당

왕궁의 사바티니 정원

왕궁 외관 및 내부 모습

MADRID

국립 소피아 왕비 예술센터

20세기, 스페인의 현대미술을 모아놓
은 미술관이다. 1986년에 스페인 왕비
인 소피아의 이름을 따 이름을 짓고
공연과 강연까지 사용하는 종합 문화
예술센터로 개관했다.
1988년에는 국립 미술관으로 승격되
었고, 1992년에는 카를로스 왕이 현대

미술까지 전시하였다. 피카소의 유명한 작품 〈게르니카〉가 2층에 전시되어 있어 많은
관람객이 방문한다. 스페인의 근현대 미술 작품을 중심으로 피카소, 달리, 미로, 타피에
스, 마타 등 1900년대 뛰어난 예술가들의 작품을 전시하고 있다.

- ■ Open_ 월요일~토요일 10:00~21:00, 일요일 10:00~14:30
- ■ 요금_ €9, 월·수·목·금요일 19:00 이후 무료, 토요일 14:30 이후 무료, 일요일 무료
  4/18, 5/18, 10/12, 12/6 무료
- ■ 교통_ M-1 atocha, M-3 lavapies
- ■ 홈페이지_ www.museoreinasofia.es

레티로 공원

M-2 Retiro역에서 내리면 바로 초록의 물결이 넘실대는 마드리드 분위기를 만나게 된다. 1630년 펠리페 2세와 1868년 이사벨 2세가 왕궁의 정원을 시민들에게 돌려주기로 결정하면서 레티로 공원은 시민들에게 공개되었으며, 지금은 마드리드에서 가장 사랑받는 공원이 되었다.

공원의 핵심은 알폰소 12세의 동상이 세워진 레티로 연못이다. 이곳은 인공호수인데, 한가로이 유람선이나 카누를 타며 즐거운 시간을 갖기에 좋다. 남쪽에는 벨라스케스관 Palacio de Velazquez과 크리스탈관Palacio de Cristal이 있다. 주말마다 다양한 공연이 열린다.

▶지하 : 입체파와 아방가르드, 팝아트 등의 20세기 미술
▶1층 : 17~20세기의 네덜란드 화가들
　　　 드가, 마네, 르느와르, 고흐, 세잔 등 인상파 작품
▶2층 : 13~18세기 이탈리아 작품
　　　 프랑스, 독일, 플랑드르, 스페인 화가들의 작품

티센보르네미서 미술관

프랑스나 이탈리아만 미술관을 관람해야 한다는 생각을 가진 관광객이 많지만 스페인의 마드리드에도 3일은 봐야 할 정도로 미술관과 박물관이 많다. 티센보르네미서 미술관, 프라도 미술관, 국립 소피아 왕비 예술센터가 삼각형 모양으로 위치해 있어 골든 트라이앵글이라 불린다. 3개의 미술관과 박물관만 관람해도 하루가 부족하다. 프라도 미술관 건너편에 있는 티센보르네미서 미술관은 M-2 Banco de Espana역에서 내리면 프라도 미술관보다 먼저 만나게 된다. 그래서 프라도 미술관으로 혼동하는 관광객들도 많다. 이 미술관은 19세기 초 네오클래식 양식 붉은색 건축물로, 아담하게 보이지만 상당히 크다.

1920년에 하인리히 남작이 모은 수집품부터 1960년대에 그의 아들인 보르네미서 남작이 모은 수집품까지 모아 1988년에 미술관으로 개관하며 시작되었다. 1993년에는 스페인 정부가 미술관을 매입하여 국립 미술관이 되었고, 13세기부터 지금까지의 회화 800점 이상을 전시하고 있다. 피카소, 달리 등의 현대미술과 16~18세기 이탈리아, 네덜란드 등의 회화도 감상할 수 있다.

아토차역, 프라도 미술관, 시벨레스 광장을 연결하는 도로로 연결되는 넵투노 광장 왼쪽의 붉은 건물이 티센보르네미서 미술관이다.

- **Open_** 화요일~일요일 10:00~19:00
- **Closed_** 월요일, 1/1, 5/1, 12/25
- **요금_** 상설전시 €12, 학생 €8
- **교통_** M-2 Banco de Espana

프라도 미술관

스페인이 자랑하는 세계적인 미술관으로 수천 점의 미술품을 전시하고 있다. 원래는 스페인 왕가의 소장품을 중심으로 1819년에 건립된 왕립 미술관이었으나 1868년 혁명 후 국유화되었다. 중세부터 18세기까지 스페인 및 유럽 각국의 회화를 중심으로 전시하고 있다.

특히 그레코, 벨라스케스, 고야에 관해서는 질적·양적으로 세계에서 가장 많은 작품을 소장하고 있다. 루벤스, 반 다이크를

■Open_ 월요일~토요일 10:00~20:00
　　　일요일·공휴일 10:00~19:00
■Closed_ 1/1, 5/1, 12/25
■요금_ €14, 18세 이하 무료, 월요일~토요일 18시 이후 무료,
　　　일요일·공휴일 17시 이후 무료

중심으로 하는 플랑드르 회화, 리베라, 무리요, 수르바란 등 스페인 화가의 작품도 많이 전시되어 있다. 프라도 미술관의 가장 큰 자랑거리는 역시 고야의 작품이다. 〈옷을 벗은 마하〉, 〈옷을 입은 마하〉, 〈카를로스 4세의 가족〉, 〈마녀의 집회〉 등 초기부터 말년에 이르는 100점이 넘는 유화와 수백 점의 소묘를 소장하고 있다. 이외에 그레코의 〈부활〉과 〈삼위일체〉, 벨라스케스의 〈술꾼들〉과 〈시녀들〉, 보스의 〈쾌락의 뜰〉과 루벤스의 〈사랑의 뜰〉도 빼놓을 수 없는 작품들이다.

스페인 여행의
Tip

프라도 미술관 돌아보기

프라도 미술관에는 서쪽의 고야 문, 남쪽의 벨라스케스 문, 동쪽의 무리요 문으로 들어가는 3곳의 출입구가 있다. 미술관은 4개층에 있으며 주요 작품들은 대부분 1층과 2층에 몰려 있다. 특히 2층에는 벨라스케스, 고야, 엘 그레코 등의 작품 등 스페인의 국보급 미술품이 모두 전시되어 있다. 2층만 돌아봐도 미술관이 자랑하는 대표작은 대부분 볼 수 있다.

〈카를로스 4세의 가족〉 | 고야

궁정화가로 활동하던 고야가 마지막으로 그린 가장 큰 왕실 초상화로, 벨라스케스의 〈시녀들〉의 분위기와 비슷하다. 바로크식 궁정 초상화에서는 왕족을 그릴 때 사실보다는 근엄한 모습으로 그리는데, 고야는 낭만주의의 신바로크적 기질을 발휘하여 왕족일가의 표정을 그대로 노출시키고 있다. 왕은 근엄한 표정을 지으려고 노력하고 있지만 왠지 모르게 멍청해 보이고, 왕비는 화려한 옷을 입고 있음에도 천박한 느낌이 든다. 어린 왕자들은 잔뜩 겁에 질린 듯한 표정이다.

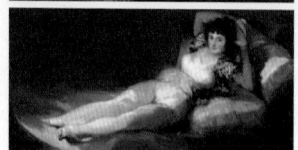

〈옷을 벗은 마하〉, 〈옷을 입은 마하〉 | 고야

두 점의 '마하' 그림은 고야의 그림 중 가장 유명한 작품으로 나란히 걸려 있다. '마하'는 당시 스페인의 멋쟁이 여인들을 통칭하는 말로 고야는 종종 이런 여인들을 소재로 그림을 그렸다. 이 그림이 그려질 당시는 일반 회화 부분에서 도발적인 누드화를 그리는 것 자체가 큰 화제였다. 이 그림은 당시의 관념을 깬 회화 사상 최초의 누드화다.

〈1808년 5월 3일〉 | 고야

고야의 후기 작품으로 스페인을 점령한 나폴레옹 군대가 한 무리의 마드리드 시민들을 잔인하게 처형하는 장면을 사실적으로 그렸다. 전체적으로 어두운 톤의 그림 오른쪽에는 프랑스 군인들이 일렬로 서서 총을 겨누고 있고, 왼쪽에는 총살당한 마드리드 시민들의 피가 땅을 적시고 있다.

가운데 흰 옷을 입고 두 팔을 높이 든 사나이의 모습만이 유일하게 밝게 묘사되어 있는데, 이는 어떤 억압에도 굴복하지 않는 스페인 민중들의 희망을 표현한 것이다. 이 그림에 사용된 날카로운 색채와 대범하고 유동적인 붓질, 극적 분위기를 연출하는 어둠 속의 빛은 신바로크 화풍의 기초가 되었다.

〈시녀들〉 | 벨라스케스

스페인이 낳은 최고의 궁정화가 벨라스케스는 주로 펠리페 4세의 젊은 왕비와 자녀들의 그림을 많이 그렸다. 우울하고 바로크적 분위기를 주는 이 그림 속의 공간은 창과 열린 문으로 들어오는 따스한 햇볕에 의해 넌 채 비굴해 보이는 2명의 난쟁이, 어리지만 위엄을 갖춘 공주, 2명의 시녀 등이 사실적으로 그려져 있다. 벨라스케스의 후기 작품으로 사실주의적 화풍이 돋보이는 걸작이다. 벨라스케스는 궁정화가로서 종교성과 신비함을 배제하고 철저한 사실주의에 바탕을 둔 인물화를 주로 그렸다.

시벨레스 광장

M-2 Banco de Espana역에서 하차하여 시벨레스 광장에 들어서서 오른쪽 길을 따라가면 독립 광장Plaza de la Independencia과 알칼라 문Puerta de Alcala이 나온다. 여기서 계속 직진하면 콜론 광장Plaza de Colon이 나온다.

시벨레스 광장의 북쪽이 콜론 광장, 동쪽이 알칼라 문, 남쪽이 프라도 미술관이다. 솔 광장에서 동쪽으로 뻗은 알칼라 거리Calle de Alcalá 와 그란비아Gran Vía의 합류지점으로, 중심에 대지와 풍요의 여신 시벨레스가 두 마리의 사자가 끄는 마차를 탄 조각과 분수가 있다. 이곳에서 멀지 않은 곳에 바다의 신 넵투노(포세이돈)가 한 손에는 삼치장을 들고 해마가 끄는 전차를 탄 분수가 있다. 시벨레스 분수와 비교하며 보는 재미가 쏠쏠하다.

▼ 시벨레스 분수　　　　　　넵투노 분수▶

알칼라 문

아라곤으로 통하는 옛 성문이 있었던 자리에 카를로스 3세가 지시해 1769~1778년 사바티니가 설계한 개선문이다. 현재 독립 광장Plaza de Independencia에 우뚝 서 있다.
카를로스 3세는 스페인이 다른 열강들로부터 수난을 당하던 시기에 왕위를 계승받아 스페인 재건에 힘썼는데 마드리드의 기틀을 마련했다고 평가받는다.

콜론 광장

M-4 Colon역에서 내리면 콜럼버스를 기념하기 위해 만든 콜론 광장이 있다. 콜럼버스 동상이 높은 기둥 위에 서 있는데 웅장한 멋이 있다. 밑에는 항해일지를 새긴 돌로 된 기념물이 있다. 차량들이 지나가는 광장이라 대륙을 발견했을 때의 분위기는 없지만 콜럼 버스가 스페인 역사에서 얼마나 중요한지를 알 수 있는 광장이다.

국립 고고학 박물관

국립 고고학 박물관은 무료로 관람할 수 있으니 부담없이 둘러보자. 특히 알타미라 동 굴벽화를 보러 가는 박물관으로 유명하며, 전시된 벽화는 복제품이지만 볼 만한 가치가 있다. 들어가서 왼쪽 지하로 내려가는 길에 벽화를 볼 수 있다. 구석기 시대부터 15세기 까지의 페니키아, 카르타고, 이베리아, 로마, 서고트, 기독교, 이슬람교 등의 유물과 자료들이 연대순으로 전시되어 있다.

- ■ **Open_** 화요일~토요일 09:30~20:00, 일요일 · 공휴일 09:30~15:00
- ■ **Closed_** 월요일, 1/1, 1/6, 5/1, 12/24~25, 12/31
- ■ **교통_** M-4 Serrano

솔 광장

'태양의 문'이라는 뜻을 가지고 있는 솔 광장은 마드리드의 중심지역이다. 여기에서부터 9개의 도로가 뻗어나가며, 지하철도 3개 노선(M-1, 2, 3호선)이 교차하고 있다. 태양이 새겨진 성문이 있었다고 전해지지만 지금은 없다.

많은 이가 약속 장소로 이용하고 있어 항상 붐비며, 새해맞이 행사도 솔 광장에서 진행할 정도다.

광장 앞에는 시계탑이 있는 마드리드 의회 건물이 있고, 건너편에는 마드리드 최고의 백화점인 엘 코르테 잉글레스티 Corte Ingles와 많은 상점이 있는 번화가 쁘레시아도스 Preciados 거리가 있다. 솔 광장에서 마요르 거리Calle Mayor를 따라 10분 정도 걸으면 왼쪽으로 마요르 광장이 나온다.

새해맞이 풍경

마요르 광장

마드리드의 공식 행사나 시장, 투우, 종교재판 등이 이루어졌던 광장으로, 지금은 많은 사람들이 오가며 일요일에는 우표 · 화폐시장이 열리는 광장이다. 중앙에는 펠리페 3세의 기마상이 있으며, 1617~1619년에 완성되었다. 하지만 여러 번의 화재로 1854년에 현재의 모습이 만들어졌다.

배가 고플 시간에 이곳을 찾았다면 바로 옆에 있는 산 미구엘 시장에서 배를 채워보자. 각종 야채와 과일 등을 살 수 있으며 다양한 음식을 맛볼 수 있다. 이밖에도 광장 주변에는 저렴한 식당들이 몰려 있다.

레알 왕궁

마드리드에서 가장 아름다운 장소로, 이탈리아 르네상스와 신고전주의양식을 혼합하여 만든 왕궁이다. '옥좌의 방', '황금의 방' 등 스페인 왕실의 화려한 방들을 구경하면서 프랑스나 다른 유럽의 왕궁과 비교할 수 있는 좋은 기회다.

1738~1764년에 펠리페 5세에 의해 2,800여 개의 방을 가진 커다란 왕궁으로 지어졌다. 그중에 지금은 50여 개만 공개하고 있다. 150여 명을 동시 수용하는 연회장이 특히 아름답다. 이 연회장은 지금도 스페인 왕실에서 공식적인 행사에 사용한다. 왕궁 안에는 고야, 벨라스케스 등의 그림과 함께 2,500여 개에 달하는 15~16세기의 타피스트리(장식천), 200여 개에 이르는 시계 수집품, 왕궁 약재실, 메달 박물관, 음악 박물관, 무기 박물관, 마차 박물관 등이 있다. 꼭 관람해 볼 것을 추천한다.

캄포 델 모로(Campo del Moro)
왕궁 뒤편에 있는 공원으로 마드리드 시민이 많은 레티로 공원과는 달리 조용하여 휴식을 취하기에 좋다. 무성한 나무와 분수, 조각 들이 있고 왕궁도 내려다볼 수 있다.

- ■ **Open_** 4~9월, 월요일~토요일 10:00~20:00, 일요일 · 공휴일 09:00~15:00
  10~3월, 월요일~토요일 10:00~18:00, 일요일 · 공휴일 09:00~14:00
- ■ **요금_** €13, 학생 €5, 가이드 투어 €9
- ■ **교통_** M-2, 5 Opera
- ■ **홈페이지_** www.patrimonionacional.es

스페인 광장

스페인의 위대한 작가 세르반테스의 서거 300주년을 기념해 세운 동상과 돈키호테, 로시난테, 산초의 동상이 있는 스페인 광장은 사진 찍기에 좋다.

동상 뒤에 있는 건물은 스페인 빌딩Edificio España이고 왼쪽에 있는 높은 건물이 마드리드 타워Torre de Madrid이다. 맨 위층에는 카페가 있어 마드리드 시내가 내려다보인다. 광장 북서쪽에는 대학가가 있어 학생들을 위한 각종 상점, 식당 등이 있다.

그란비아 거리

M-3 10 Plaza de Espana역에서 내려 세르반테스의 동상을 바라보면서 오른쪽으로 고개
를 돌리면 보이는 곳이 바로 마드리드에서 가장 번화한 그란비아 거리다. 1910년부터 10
년에 걸쳐 구획 정리를 하면서 만들어진 그란비아 거리는 스페인 광장에서 시벨레스 광
장까지 뻗어 있는 마드리드의 쇼핑 중심지다.

그란비아 거리를 경계로 좁은 길들이 모여 있는 구시가, 북동쪽의 길게 뻗은 길들이 모
여 있는 신시가로 나뉜다. 길의 양쪽에는 상점과 호텔, 레스토랑, 나이트클럽, 극장 등이
모여 있다.

마드리드 OUT

파리 | Paris
파리행 열차는 차마르틴역에서 출발한다. 13시간이 넘는 장시간 열차 여행이므로 열차를 타기 전에 미리 먹거리를 준비하자. 마드리드에서 파리까지는 하루에 4회 운행한다. 차마르틴역에서 08:00에 출발하는 열차인 경우 13:51에 종점에 이르면 15:34에 파리행 열차가 있다. 21:33에 파리 몽빠르나스역에 도착한다. 유레일패스를 가지고 있더라도 TGV나 Talgo, 그리고 야간열차는 예약이 필요하다. 미리 예약비를 지불하고 열차를 예약해두어야 한다.

바르셀로나 | Barcelona
바르셀로나와 마드리드는 고속열차로 연결되어 있다. 바르셀로나 산츠역에서 마드리드 아토차역까지 AVE를 타면 2시간 30분 정도 소요된다. 미리 예약비를 내고 예약을 해야 좌석을 확보할 수 있다.

리스본 | Lisbon
포르투갈의 리스본으로는 하루 한 대의 야간열차가 왕복한다. 차마르틴역에서 22:25에 출발하며 리스본의 산타 아폴로니아역에 다음날 아침 07:41에 도착한다.

세비야 | Sevilla
마드리드와 세비야 사이는 스페인이 자랑하는 고속열차 AVE가 471㎞의 거리를 2시간 30분 만에 도착한다. 오전 6시 30분부터 밤 9시까지 30분에서 1시간 간격으로 계속 다니며 예약은 필수다. 마드리드의 아토차역에서 미리 체크인을 하고 기다려야 안전하게 출발할 수 있다.

그라나다 | Granada
마드리드에서 그라나다까지도 고속열차가 개통되어 있다. 아토차역에서 미리 좌석을 예약하고 탑승하면 4시간 30분 정도 소요된다. 하루에 운행은 3회로 많지 않으므로 시간을 미리 확인하자.

Ronda

론다

론다는 관광객들이 많이 찾는 여행지는 아니었
다. 〈꽃보다 할배〉 방송 이후 론다를 찾는 관광
객과 관련 패키지여행 상품이 폭발적으로 늘어
났다. 바위산 위의 조그만 도시, 누에보 다리를
협곡이 둘러싼 도시 론다는 웅장한 경관으로
관광객들을 유혹한다.

RONDA

론다 IN

바위산에 자리한 론다는 헤밍웨이가 '세상에서 가장 로맨틱한 도시'라고 극찬한 작은 도시로 하루 정도 쉬어가기에 좋다. 론다로 갈 때는 기차와 버스를 이용하면 된다.

기차
론다로 들어가는 방법으로 기차를 가장 많이 이용한다. 마드리드에서는 하루 3회 운행되며, 세비야에서는 하루 5회 론다로 향하는 기차가 운행된다. 왕의 오솔길을 거쳐 론다로 올 경우에는 말라가에서 론다행 기차를 타고 엘 초로역에서 내려 왕의 오솔길을 걷고, 이어 론다로 이동하면 된다.

버스
마드리드에서 론다까지 직접 운행하는 버스는 없다. 같은 안달루시아 지방에 있는 말라가와 세비야 정도만 운행하고 있다.

택시

론다에서는 버스보다 택시를 이용하는 것이 편리하다. 세 명이 시
내로 이동하는 데 5유로밖에 들지 않는다. 택시 요금이 저렴한 만
큼 사람들이 많이 이용한다.

베스트 코스

론다의 버스터미널은 구시가 인근에 있어 걸어서 이동이 가능하지만 기차역은 구시가
까지 도보로 30분 정도 소요된다. 기차역에서 내렸다면 버스나 택시를 타고 이동하는
게 편리하다. 알라메다 델 타호 공원에서 누에보 다리까지는 10분 정도면 갈 수 있기 때
문에 웬만한 관광지는 걸어다니면서 보면 된다.

알라메다 델 타호 공원

투우장, 투우 박물관

스페인 광장

누에보 다리

주요 볼거리
spectacle

누에보 다리

론다 여행의 핵심 포인트는 누에보 다리다. 120m 깊이의 협곡을 가로지르는 누에보 다리는 구시가와 신시가를 구분하는 중요한 고가 구조물로, 이 양쪽을 연결하는 데 40년이 걸렸다. 다리 양쪽 협곡에 지어진 레스토랑 등의 많은 집은 놀랍기 그지없는데, 관광객들은 이 풍광을 배경 삼아 사진을 찍는다.

■ 주소_ Calle Guadalimar, 5

투우장

누에보 다리 바로 앞에는 커다란 경기장이 있다. 스페인에서 가장 오래된 투우장으로, 호세 마르틴 데 알데우엘라가 1785년 바로크양식으로 건설했다.
5천 명을 수용할 수 있는 돔 형태의 투우장은 그야말로 압권이다. 투우사 의상 등 투우 관련 사진과 포스터 등이 전시된 투우 박물관이 그 옆에 있다.

■**주소**_ Paseo de Reding, 8

라 마요르 대성당

누에보 다리를 건너 오르막길을 따라 올라
가면 오른쪽에 보이는 성당이다. 15~16세
기에 이슬람 세력을 몰아내고 모스크가 있
던 자리에 건축했다. 탑은 돔양식으로, 내
부는 바로크양식, 고딕양식, 플라테레스코
양식등으로 장식했다.

■ Open_ 월요일~토요일 10:00~19:00
　　　　일요일 10:00~12:30, 14:00~19:00
■ 주소_ Plaza Duquesa de Parcent

Granada

그라나다

그라나다는 알람브라 지구, 알바이신 지구, 사크로몬테 지구, 그란비아 데 콜론에서 볼거리가 있으며, 가운데에 이사벨 라 카톨리카 광장, 북쪽에는 누에바 광장과 3개의 언덕이, 남쪽에는 현대적인 신시가가 있다.

보통 1박 2일로 알바이신과 신시가에 있는 대성당, 카르투하 수도원 등은 1일·코스로 돌아보고 다음날 오전에 알람브라 궁전을 보는 경우가 일반적이다. 구시가에서는 이슬람 문화의 정취를 느낄 수 있다.

GRANADA

그라나다 IN

스페인 남부 안달루시아 지방의 도시 그라나다는 마드리드에서 기차로 5시간, 버스로는 7시간 정도 소요된다. 800년 이상 이슬람의 지배를 받은 이베리아 반도의 마지막 이슬람 왕국이 그라나다이다. 1492년, 이베리아 반도에서 이슬람 문명을 몰아내는 국토회복운동으로 이슬람 왕국은 사라졌다. 구시가 곳곳에 이슬람 문화의 흔적들이 남아 있어 이국적인 풍경을 보려 관광객이 끊임없이 그라나다를 방문한다.

이슬람 건축의 알람브라 궁전과 이슬람 사원이 있던 자리에 세워진 대성당은 그라나다에서 반드시 봐야 하는 곳이다.

비행기

마드리드나 바르셀로나에서 부엘링 등의 저가항공을 이용하면 그라나다까지 약 1시간 정도 걸린다. 그라나다 공항Federico Garcia Lorca Granada-Jaen Airport/GRX은 그라나다 도심에서 서북쪽으로 약 15㎞ 떨어져 있다.

▶공항 홈페이지 : www.granadaairport.com

공항에서 그라나다 시내 IN

그라나다는 비행기, 열차, 버스 등을 이용해 스페인의 각 도시를 오갈 수 있다.

공항버스
공항에서 시내로 가는 가장 편리한 수단은 공항버스다. Autocares Jose Gonzalez에서 운행하는데 그라나다 버스터미널Estacion de Autobuses de Granada, 그란비아Gran Vía, 대성당Cathedral 등을 지나간다. 티켓은 미리 구입할 필요없이 운전기사에게 구입하면 된다.

▶운행시간 : 월요일~토요일 05:20~20:00, 일요일 06:25~20:00
▶소요시간 : 45분　▶요금 : €6

택시
공항에서 그라나다 시내까지 30유로 정도의 요금이 나오는데, 일행이 4명이라면 탈 만하다. 택시 승강장은 비행기가 도착하는 층에 있다.

철도
마드리드, 세비야, 코르도바, 말라가 등의 도시를 연결하는 열차는 많다. 그라나다 → 마드리드 구간과 그라나다 → 바르셀로나 구간은 주간열차와 야간열차가 운행되어 스페인 철도패스를 이용할 수 있지만 좌석을 반드시 예약해야 한다. 특히 여름 성수기의 세비야 → 그라나다 구간은 이용자가 많기 때문에 좌석 예약은 필수다.
그라나다역에서 시내까지 걸어서 30분 정도 소요되는데, 시내버스를 이용하는 것이 좋다. 그라나다역 앞의 큰 길 콘스티투시온 거리Av. de la Constitucion에서 3, 4, 6, 9, 11번 시내버스를 타고 10분 정도 지나면 이사벨 라 카톨리카 광장Plaza de sable la Catolica에 도착한다. 걸어서 15분 정도면 이사벨 라 카톨리카 광장에서 알람브라 궁전까지 갈 수 있다.

버스
스페인은 국토가 넓어 고속도로와 상거리 버스 노선이 발달해 있다. 그라나다는 그중에서도 안달루시아 지방을 오가는 노선이 발달해 있다. 그라나다와 마드리드, 바르셀로나, 코르도바, 세비야 등의 구간을 연결하는 버스는 ALSA에서 운행하고 있다.
그라나다 버스터미널Estacion de Autobuses de Granada에서 그라나다 시내 관광의 기점이 되는 그란비아Gran Via와 이사벨 라 카톨리카 광장Plaza de Isabelle la Catolica까지는 버스 3, 33번을 타고 약 15분 정도 소요된다.
▶ALSA 홈페이지 : www.alsa.es
그라나다의 구시가는 도보로도 충분히 돌아볼 수 있다. 기차역에서 시내, 시내에서 떨어

시내 교통

진 사크로몬테로 이동할 때에는 버스를 이용하는 것이 좋다.

티켓의 종류 및 요금

버스 티켓은 1회권과 충전식 교통카드인 보노부스Bonobus가 있는데 운전기사에게 직접 구입하거나 자동발매기를 이용하면 된다. 보노부스는 5유로, 10유로, 20유로로 충전할 수 있으며 구입 시 충전 금액에 보증금 2유로를 합해서 내야 한다. 여행이 끝나면 운전기사에게 반납하고 보증금을 돌려받자. 잔액은 돌려받을 수 없다. 보노부스는 여러 명이 사용해도 무관하며 2013년 기준으로 5유로를 충전하면 8회, 10유료를 충전하면 13회 탑승이 가능하다.

승차권 종류	원어명	요금
1회권	Billete Ordinario	€1.7
보노부스	Bonobus	€5, €10, €20 (보증금 €2 별도)

미니버스

알람브라 궁전, 알바이신, 사크로몬테 등의 언덕을 순회하는 빨간색 미니버스로 누에바 광장Plaza Nueva에서 출발한다. 요금은 일반 버스 요금과 동일하다.

▶운행 노선 : 30번 – 알람브라 궁전, 31번 – 알바이신 지구, 35번 – 사크로몬테

베스트 코스

낮에는 아름다운 알람브라 궁전에서의 산책을, 저녁에는 아랍풍 카페에 들러 다양한 아랍 차와 그들의 문화를 느껴보자. 알람브라 궁전은 하루 입장객을 제한하기 때문에 미리 예약하는 것이 좋다. 알람브라 궁전을 거닐며 영화로웠을 그라나다의 옛 모습을 머릿속에 그려보자. 특별한 루트를 짜지 않더라도 쉽게 둘러볼 수 있으니 주요 볼거리들을 체크해가며 천천히 돌아보자. 모든 관광이 끝났다면 칼데레리아 누에바 거리의 아랍풍 카페에서 차를 마시거나 플라멩코 공연을 보는 것도 좋다.

누에바 광장　　　　　　　　대성당　　　　　　　　알람브라 궁전

주요 볼거리
spectacle

누에바 광장

그라나다 여행의 시작을 알리는 곳이 바로 이곳, 누에바 광장이다. 그라나다역에서 걸어서 30분 정도 소요된다. 광장 주변에는 관광 안내소부터 레스토랑들이 늘어서 있다. 산타 아나 성당 방향으로 길을 따라가면 알바이신 지구가 시작된다. 버스 정류장에서 30, 32번 버스를 타면 알람브라 궁전과 알바이신 지구로 이동할 수 있다.

■**교통**_ 그라나다역 앞 Av. De la Constitucion에서 3, 4, 6, 9, 11번 시내버스를 타고
   이사벨 라 카톨리카 광장에서 하차

그라나다 대성당

16세기에 이슬람의 모스크를 헐어내고 새로 지은 대성당은 르네상스양식의 걸작으로 인정받고 있다. 성당의 외관은 고딕양식을, 내부는 르네상스양식을 띤 독특한 건물이다. 특히 황금으로 장식된 왕실 예배당이 유명하다.

- ■ **Open_** 10:45~13:15, 16:00~19:45(겨울철 시에스타 이후~18:45)
- ■ **Closed_** 일요일 · 공휴일
- ■ **주소_** Calle Gran Vía de Colon, 5
- ■ **위치_** 누에바 광장에서 도보 5분
- ■ **홈페이지_** www.catedraldegranada.com

왕실 예배당

스페인의 황금시대에 이사벨 여왕Queen Isabella과 그의 남편 페르난도King Ferdinand가 1505~1517년에 걸쳐 고딕양식으로 완성하였다. 내부는 화려한 조각들로 장식되어 있다. 기존의 다른 카톨릭 성당과는 문양이 조금씩 다른데 이슬람양식이 영향을 미쳤다고 한다. 여왕과 남편, 딸들의 묘가 안치되어 있다.

- Open_
- 가을, 겨울 : 월요일~토요일 10:15~13:30, 15:30~18:30
            일요일 11:00~13:30, 14:30~17:30
            공휴일 11:00~13:30, 15:30~16:30
- 봄, 여름 : 월요일~토요일 10:15~13:30, 14:00~19:30
            일요일 11:00~13:30, 14:30~18:30
            공휴일 11:00~13:30, 16:00~19:30
- Closed_ 1/1, 12/25, 성 금요일
- 요금_ €4
- 홈페이지_ www.capillarealgranada.com

알카이세리아 거리

그라나다는 도자기와 조각을 이어 붙여 만든 목공예품인 타라세아taracea 등의 기념품이 유명하다. 기념품점은 누에바 광장과 비브 람블라 광장 주변에 있으며, 이곳은 과거 직물거래소였던 곳으로 좁은 골목에 형성되어 있다. 주로 아랍 상품을 파는 상점들이다.

■**위치_** 대성당 옆

칼데레리아 누에바 거리(아랍 거리)

누에바 광장에서 알바이신을 오르는 입구에 형성된 아랍 거리로 아랍 기념품을 파는 상점과 카페, 레스토랑 등이 여행자들을 유혹하고 있다.

■**위치_** 누에바 광장에서 도보 3분

알람브라 궁전

그라나다를 방문하는 이유는 대부분 알람브라 궁전을 보기 위해서라고 해도 과언이 아니다. 이곳의 이슬람 건축물은 현존하는 이슬람 건축물 중 최고로 유명하다. 스페인은 8세기부터 약 800년 동안 이슬람의 지배를 받았는데 알람브라는 스페인의 마지막 이슬람 왕국인 나스르 왕조Nasrid dynasty 의 궁전이었다.

아랍어로 '붉은 성'이라는 뜻이다. 13세기 나스르 왕조 시대에 세워졌으며, 14세기 후반에 완성되었지만 몇 차례의 전쟁을 겪으면서 파괴되고 방치되었다가 지금에 이르렀다. 현재 유네스코 세계문화유산으로 지정되어 관리 및 복구되고 있다.

인터넷으로 미리 예매를 해야 기다리지 않고 입장이 가고능하다. 무작정 기다리다가는 못 볼 가능성이 높다. 누에바 광장에서 15~20분 정도 걸어서 이동하거나 알람브라 미니버스 30, 32번을 타고 헤네랄리페역에서 내리면 된다. 알람브라 궁진은 크게 헤네랄리페Generalife, 카를로스 5세 궁전Palacio de Carlos V, 나스르 궁전, 알카사바 성채Alcazaba 순으로 둘러볼 수 있다. 박물관, 미술관, 정원, 성당 등도 있어 관람하는 데 많은 시간이 걸리기 때문에 간단한 먹거리나 음료 등을 미리 준비해 가는 것이 좋다.

- Open_ 11월~3월 15일 : 월요일~일요일 8:00~18:00, 야간개장 : 금요일~토요일 8:00~21:30
  3월 16일~10월 : 월요일~일요일 8:30~20:00, 야간개장 : 화요일~토요일 22:00~23:30
- Closed_ 1/1, 12/25
- 요금_ 통합티켓 €17
- 홈페이지_ www.alhambra-patronato.es, www.alhambra.org
- 티켓 예매_ www.alhambra-tickets.es

알람브라 궁전 제대로 관람하기

인터넷으로 예매하지 않았을 경우 오전 8시 전에는 도착해야 당일표를 구입할 수 있다.
특히 여름 성수기에는 관광객이 많이 몰리기 때문에 현장에서 구입을 못 할 수도 있다. 따
라서 인터넷으로 미리 예매후 방문하는 게 좋다.

인터넷 티켓 구입 방법

1. 하루 관람객 수는 약 7천 명 정도로 제한한다. 성수기에는 티켓 예매 사이트에서 미리
   예매하자(시내에 있는 BBVA 은행에서도 구입 가능).

2. 티켓은 3개월 전부터 예약이 가능하지만 관람 당일은 예약이 불가능하다. 인터넷 예약
   을 하려면 관람일과 인원을 선택하고 08:00~14:00 / 14:00~ 중에 방문시간을 선택하
   면 자동적으로 나스르 궁전의 관람 시간이 정해진다. 예매 내용을 한국에서 미리 출력
   하여 가져가는 것이 좋다. 현장 매표소에서 티켓으로 교환해도 되지만 예매티켓기에서
   발권하는 것이 기다리지 않아 편리하다. 결제 시 반드시 신용카드를 준비하자.

3. 입장은 오후 2시를 기준으로 오전과 오후에 입장이 가능하다. 오전에 입장하면 오후 2시
   이전에 나가야 한다. 나스르 궁전 입장은 30분 단위로 이뤄지며 티켓에 정해진 시간대
   에만 입장이 가능하다.

헤네랄리페   나스르 궁전   알카사바

구경 순서

헤네랄리페 → 카를로스 5세 궁전 → 나스르 궁전 → 알카사바 → 석류의 문

헤네랄리페 | Generalife

왕궁의 동쪽, 10분 거리에 있는 헤네랄리페는 14세기에 세워진 왕의 여름 별궁이다. 수로와 분수가 아름다워 대부분의 관광객이 이곳에서 사진을 많이 찍는다. 정원 안쪽에 있는 이슬람양식과 스페인양식을 대표하는 아세키아 중정Patio de la Acequia은 반드시 봐야 하는 포인트다.

카를로스 5세 궁전 | Palacio de Carlos V

16세기에 카를로스 5세가 르네상스양식으로 지은 궁전으로 현재는 1층에 알람브라 박물관Alhambra Museum, 2층 순수 예술 미술관Fine Art, Museum으로 사용되고 있다.

나스르 궁전 | Palacios Nasrid

메수아르 궁, 코마레스 궁, 사자의 중정 등이 유명하다. 대사의 방, 두 자매의 방, 사자(使者)의 홀은 반드시 봐야 하는 곳이므로 놓치지 말자.

① 메수아르(Mexuar) 궁

메수아르 방의 벽면과 천장이 아라비아 문양의 정교한 장식들로 둘러싸여 있는데, 카톨릭이 더 문화적으로 앞서 있다고 생각한 유럽사람들이 이슬람 문화에 대해 다시 생각하는 계기가 되었다고 한다. 안뜰의 작은 분수 정원, 알바이신의 전망을 내려다볼 수 있는 황금의 방은 꼭 보자.

② 코마레스(Comares) 궁

아라야네스 중정Patio de los Arrayanes과 옛 성채인 코마레스의 탑Torre de Comares 코마레스 궁의 볼거리이다. 탑 안쪽에는 각국 사절들의 알현 행사 등에 쓰였던 대사의 방Salon de Embajadores이 있다. 이곳의 천장과 벽면은 모두 아라베스크 문양의 장식으로 꾸며져 있다. 코마레스의 탑에 있는 발코니에서 아름다운 사크로몬테 언덕과 알바이신 지구의 풍경을 조망할 수 있다.

③ 사자의 중정(Patio de los Leones)

중정의 내부는 왕을 제외한 남자들의 출입이 금지된 하렘이 있다. 나스르 왕궁 관람의 핵심으로 정원 중앙에는 12마리의 사자가 받치고 있는 사자의 분수가 있다. 중정 남쪽에 아벤세라헤스의 방Sala de las Abencerrajes이, 중정 동쪽에는 왕의 방Sala de los Reyes이, 중정 북쪽에는 종유석 장식으로 꾸며진 두 자매의 방이 있다.

④ 두 자매의 방(Sala de las Dos Hermanas)

사자의 중정 북쪽에 있는 두 자매의 방은 천장과 벽면 가득 화려한 종유석 장식으로 되어 있다.

알카사바

알카사바는 9세기경에 세워진 알람브라 궁전에서 가장 오래된 곳이다. 서쪽 끝에 알람브라 궁전에서 제일 오래된 벨라의 탑 Torre de la Vela에 오르면 알람브라 궁전 내부는 물론 알바이신 지구, 사크로몬테 언덕 등 그라나다 전체를 한눈에 감상할 수 있다.

알바이신 지구

알람브라 궁전 맞은편 언덕에 위치한 알바
이신 지구는 그라나다에서 가장 오래된 곳
으로 옛 풍경을 그대로 보여준다. 알바이신
지구 전체가 세계문화유산으로 지정되어
있으며, 언덕 정상에 있는 산 니콜라스 성
당Iglesia de San Nicolas의 전망대에서 바라보
는 알람브라 궁전의 모습은 특히 아름답다.

다른 측면에서 시내를 조감할 수 있는 로나
전망대Mirador de la Lona와 산 크리스토발 전
망대Mirador de San Cristobal 등도 있다.
알바이신 지구는 치안이 좋지 않은 편이다.
특히 골목에서 마주치는 남자를 조심해야
한다. 해가 지기 시작하면 버스로 이동하는
것이 좋으며 되도록 해가 지기 전에 벗어나자.

■**교통_** 알람브라 미니버스 31번 이용

사크로몬테

알바이신 언덕에 정착한 집시들은 언덕에
구멍을 파 동굴집 쿠에바Cueva을 만들어
살았다. 현재는 사크로몬테 쿠에바 박물관
Museo Cuevas del Sacromonte으로 사용되고
있으며 쿠에바 정착민들의 역사, 관습 등
을 볼 수 있다. 알람브라 미니버스 31, 35
번을 이용하여 누에바 광장으로 돌아갈 수
있다.

■**Open_** 10월 15일~3월 14일 : 월요일~일요일 10:00~18:00
　　　　 3월 15일~10월 14일 : 월요일~일요일 10:00~20:00
■**요금_** 박물관 €5
■**홈페이지_** www.sacromontegradnada.com

저녁식사는 누에바 광장에서 관광을 끝내고 느긋하게 즐기고, 바르^{Bar}나 아랍 카페를
방문하여 이슬람 문화를 즐기는 것이 대부분의 여행자들의 밤문화라 할 수 있다.

올랄라 레스토랑 | OHLALA Restaurant

누에바 광장 내에 위치한 스페인 브랜드 체인으로
스페인 어디서나 볼 수 있다. 피자, 파스타, 빠에
야 등 다양한 스페인 음식을 13유로 정도로 맛볼
수 있다.

- **Open_** 11:00~23:00
- **주소_** 누에바 광장 지점 : Plaza Nueva 2,
  비브 람블라 광장 지점 : Bib Rambla 18

라 쿠에바 1900 | LA CUEVA de 1900

누에바 광장에서 이사벨 광장 방향의 왼쪽으로 돌
아가면 스페인 체인인 레스토랑이 나온다. 하몽과
스페인의 전통 소시지를 비롯한 다양한 요리를 10
유로 정도의 가격으로 맛볼 수 있다. 하몽은 우리
나라 사람들에게는 매우 짜게 느껴질 수 있다. 저
염식의 하몽 이베리꼬가 그나마 먹기에 좋다.

- **주소_** Reyes Catiolicos, 42
- **전화_** 958-22 93 27
- **홈페이지_** www.lacuevade1900.es

Sevilla

세비야

스페인에서 4번째로 큰 도시로 우리에게는 플라멩코와 투우의 본고장으로 알려져 있다. 스페인의 대표화가 벨라스케스의 고향이기도 하다. 스페인을 대표하는 문화인 투우와 플라멩코를 보기 위해 해마다 많은 관광객이 이곳을 찾고 있다. 안달루시아 지방을 대표하는 도시로 오페라 〈카르멘〉, 〈세비야의 이발사〉, 〈피가로의 결혼〉의 무대이기도 하다.

SEVILLA

세비야 IN

안달루시아 지방에서 이동할 경우 버스를, 마드리드나 바르셀로나 등의 도시에서 이동할 경우에는 열차를 이용하는 것이 편리하다. 유럽 주변국가에서 이동할 경우 저가항공을 이용하기도 한다.

비행기
우리나라에서는 마드리드와 바르셀로나에서 내려 저가항공인 부엘링을 타고 세비야로 가야 한다. 다른 유럽 도시에서는 주로 라이언 에어나 이지젯을 이용해 세비야를 들어가는 항공편이 하루에도 여러 편 운항한다. 세비야 산 파블로 국제공항Sevilla Airport San Pablo/SVQ은 세비야 도심에서 북쪽으로 약 10㎞ 정도 떨어져 있다.

▶공항 홈페이지 : www.arena.es

공항에서 세비야 시내 IN

공항버스
공항에서 산타후스타 기차역 등을 거쳐 버스터미널이 있는 아르마스 광장Plaza de Armas 까지 운행한다.

▶ 운행시간 : 공항 출발 05:20~01:15, 시내 출발 04:30~00:30
▶ 소요시간 : 약 40분
▶ 요금 : 편도 €6

택시
일행이 많다면 공항과 시내간 거리가 멀지 않아 이용할 만하다.

▶ 소요시간 : 약 20분
▶ 요금 : 편도 €25~

철도
마드리드(AVE로 2시간 30분 소요), 바로셀로나(AVE로 5시간 20분 소요), 코르도바, 말라가, 그라나다 등에서 세비야행 열차가 운행한다. 바르셀로나에서는 세비야까지 야간열차를 이용하여 숙박과 이동시간을 절약하는 경우가 많다. 고속열차만 운행하므로 스페인 철도패스를 가지고 있어도 반드시 좌석을 예약해야 한다.

▶ **산타후스타역(Estación de Santa Justa)**
세비야의 중심으로 산타후스타역에서 시내까지는 도보로 30분 정도 소요된다. 버스 C1, C2번을 타고 프라도 산 세바스티안Prado San Sebastian역에서 하차, 트램을 이용할 경우 콘스티투시온 거리에서 하차하면 된다.

버스
세비야까지는 마드리드에서 직접 오는 경우는 거의 없고, 안달루시아 지방에서 이동하는 버스 노선이 많다. 세비야에는 2개의 버스터미널이 있으므로 자신의 버스표를 잘 보고 버스터미널로 이동해야 한다. 안달루시아 지방의 단거리 노선은 산 세바스티안 터미널을, 마드리드나 바르셀로나처럼 장거리는 아르마스 터미널을 이용한다.

▶산 세바스티안 터미널(Estación de Autobuses Prado de San sebastian)

그라나다, 말라가, 코르도바, 론다 등 안달루시아 지
방을 오가는 단거리 버스 노선을 운행한다. 터미널
에서 시내까지는 걸어서 약 15분 정도 소요된다.

▶아르마스 터미널(Estación de Autobuses Plaza de Armas)

마드리드, 바르셀로나, 발렌시아 등 뿐만 아니라 포
르투갈의 리스본을 오가는 장거리 버스 노선이 있다.
시내까지는 도보로 약 20분 정도 소요된다. 대성당을
갈 경우, 버스 C4번을 타고 3번째 정거장인 푸에르
타 데 예레즈Puerta de Jerez역이나 4번째 정거장인 프
라도 데 산 세바스티안 버스터미널 앞에서 하차 후 걸어가면 된다.

베스트 코스

세비야의 구시가와 플라멩코를 직접 느껴보면 세비야의 매력에 푹 빠지게 된다. 지금부
터 세비야의 매력을 느껴보자. 세비야는 시에스타(낮잠)로 중간 휴식을 갖는 곳이 많으
니 관광 안내소에서 관광명소 입장 시간을 확인하자.

대성당 → 히랄다 탑 → 인디아스 고문서관

마리아 루이사 공원 ← 세비야 대학 ← 자선병원

스페인 광장 → 고고학 박물관 → 황금의 탑

마카레나 성당 ← 필라토스의 저택 ← 왕립 마에스트란사 투우장

주요 볼거리
spectacle

대성당

누에바 광장에서 걸어서 5분 정도면 세비야에서 가장 유명한 성당을 만날 수 있다. 유럽에서 세 번째로 큰 성당으로, 이베리아 반도에서 이슬람교도를 몰아낸 기념으로 이슬람 사원이 있던 자리에 약 100여 년만에 만들어진 대성당이다. 성당 안에는 스페인 역대 왕들의 묘가 안치되어 있는데 특이한 것은 산 크리스토발 문 근처에 스페인의 4개 왕국을 상징하는 4명의 거인상이 받들고 있는 콜럼버스의 묘다. 죽어서라도 자신이 스페인 땅을 밟지 않게 해달라는 유언에 따라 콜롬버스의 묘를 국왕들이 들고 있도록 만들었다.

고야, 수르바란, 무리요 등 유명화가가 제작한 명화가 장식되어 있는 것도 놓치지 말아야 할 포인트다.

- **Open_** 화~토 11:00~17:00
  (월 11:00~15:30, 일 14:30~18:00)
  7~8월 화~토 9:30~16:00
  (월 9:30~14:30, 일 14:30~18:00)
- **요금_** 일반 €9, 학생 €4
- **홈페이지_** www.catedraldesevilla.es

히랄다 탑

대성당 앞에는 12세기 이슬람 사원이었을 당시의 첨탑이 그대로 남아 있다. 지배세력이 기독교로 바뀌면서 세비야 대성당의 종탑으로 사용되고 있다. 전체 98m의 히랄다 탑Torre de la Giralda은 세비야의 상징이며, 70m 높이의 전망대에 오르면 세비야 시내를 한눈에 내려다볼 수 있다. 탑 위로 오르는 길은 계단이 아닌 완만한 경사의 통로로, 왕이 말을 타고도 다닐 수 있게 만들었다.

■ **위치_** 대성당 앞

알카사르(왕궁)

8세기에 이슬람의 요새가 있던 곳을 궁전으로 개조하여 사용하였다. 이후에 증·개축을 거쳐 14세기 후반 페드로 1세 때 그라나다의 알람브라 궁전을 모델로 개조해 무데하르양식의 대표적인 건물로 손꼽힌다.
궁전은 크게 4개의 파티오(정원)와 무데하르 궁전 등으로 이루어져 있다. 무데하르양식의 걸작으로 불리는 대사의 방은 놓치지 말자.

■ **Open_** 09:30~19:00(10~3월 09:30~17:00)
■ **Cosed_** 1/1, 1/6, 12/25, 성 금요일
■ **요금_** 일반 €9.75, 25세 이하 학생 €5
■ **위치_** 대성당에서 도보 2분
■ **홈페이지_** www.alcazarsevilla.org

인디아스 고문서관

1572년 르네상스양식으로 지어
졌다. 원래 스페인 식민지였던 인
디아스와의 교역이 이루어지던
상품거래소로 사용되어 오다가,
1784년 카를로스 3세 때부터 신
대륙 발견과 식민지 정책에 관한
모든 역사자료를 보관하는 고문
서관으로 바뀌었다. 1987년 세계
문화유산으로 지정되었다.

■ Open_ 09:00~17:00(일요일, 공휴일 10:00~14:00)
■ 요금_ 무료

세비야 대학

대성당 가까이에는 1757년, 바로크양식으로 지어진 왕립 담배공장Farica de Tabacos이 있
다. 담배공장으로 지어졌으나 지금은 세비야 대학의 법학부 건물로 사용되고 있다. 비
제의 오페라 〈카르멘Carman(1875)〉의 배경이 되기도 했던 곳으로 주인공 카르멘과 돈
호세 하사의 첫 만남이 이루어진 곳이 바로 담배공장 앞이다.

■ 요금_ 무료
■ 위치_ 대성당에서 도보 7분

마리아 루이사 공원

세비야에서 가장 큰 공원으로 궁전에 속한 정원
이었으나, 19세기에 마리아 루이사 공작부인이
기증을 하면서 시민을 위한 공원으로 바뀌었다.
공원의 동쪽에는 1929년에 열린 라틴 아메리카
박람회를 위해 조성된 스페인 광장과 아메리카
광장이 있다.

■ **위치_** 대성당에서 도보 20분

스페인 광장

유럽 도시를 여행하다 보면 스페인 광장이라는 곳이 많이 나오는데, 가장 유명한 곳은
이탈리아 로마의 스페인 광장이다. 마드리드의 스페인 광장도 유명하며, 이곳 세비야의
스페인 광장도 유명하다. 특히 이곳의 스페인 광장은 반원형으로 되어 있어 더욱 아름
답다. 1929년에 열린 라틴 아메리카 박람회장으로 사용하기 위해 조성되었다. 20세기
세비야 최고의 건축가 아니발 곤살레스의 작품으로 극장식 반원형 건물과 스페인의 휘
장과 지도, 역사적 사건들을 타일로
장식해놓았다.

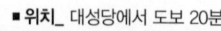

■ **위치_** 대성당에서 도보 20분

고고학 박물관

스페인 광장에서 15분 정도 걸으면 아메리카 광장에 위치한 플라테레스코양식의 건물로 된 고고학 박물관을 볼 수 있다. 1929년 라틴 아메리카 박람회의 대회장으로 사용되었던 곳으로 구석기 시대부터 중세 시대까지 안달루시아 지방에 살았던 민족들의 문화와 역사를 보여주는 고고학 유물을 전시하고 있다.

기원전 5~3세기경 타르테소스족의 것으로 추정되는 황금 장신구 카람볼로 보물Tesoro del Carambolo과 스페인에서 가장 잘 보존된 헤르메스 상la Estatua de Harmes은 꼭 봐야 할 유물이다.

- ■ **Open_** 화~토요일 09:00~20:30(6~9월 초 09:00~15:30)
  일, 공휴일 09:00~17:00
- ■ **Closed_** 월요일, 1/1, 1/6, 12/24~25
- ■ **요금_** 일반 €2.5, 학생 무료

황금의 탑

과달키비르Guadalquivir 강변에 세워진 정12각형의 탑
으로 금색 도기 타일이 입혀져 황금의 탑으로 불린다.
강 건너편에 있던 은의 탑과 쇠사슬을 연결해 적의 침
입을 막고 배의 통행을 제한하기 위해 세워졌다.
현재는 해양 박물관Museo Maritimo으로 사용되고 있다.
탑 꼭대기에 있는 전망대로 올라가면 아름다운 과달
키비르 강의 풍경을 감상할 수 있다.

■ **Open_** 10:00~14:00(토, 일 11:00~14:00)　■ **Closed_** 8월, 월요일, 공휴일　■ **요금_** 일반 €3, 학생 €2

왕립 마에스트란사 투우장

스페인에서 가장 오래된 투우장으로 1761년부터 100여 년에 걸쳐 바로크양식으로 완성
되었다. 세마나 산타Semana Santa가 열리는 3월 말이나 4월 초를 기점으로 투우 경기가 시
작되어 10월 중순까지 열린다. 투우 경기가 없는 날에는 가이드 투어가 있어 경기장과
박물관을 둘러볼 수 있다.

■ **Open_** 11~4월 09:30~19:00,
　　　 5월, 10월 09:30~20:00
　　　 6~9월 09:30~23:00
　　　 투우 경기 있는 날 09:30~15:00
■ **Closed_** 12/25, 성 금요일
■ **요금_** 일반 €9, 학생 €5
■ **위치_** 대성당에서 도보 15분, 황금의 탑에서 도보 5분
■ **홈페이지_** www.realmaestranza.com

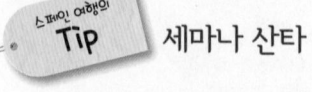

세마나 산타

성 주간. 부활절 주간에 이루어지는 카톨릭 축제
로 부활절 전의 일요일부터 일주일 동안 세계 곳
곳에서 열린다. 가장 유명한 곳이 바로 세비야의
세마나 산타이며, 이 기간에 맞춰 많은 순례자가
세비야로 모여든다.

필라토스의 저택

15세기부터 짓기 시작해 약 50년 후에 완성된 세비야 명문 귀족의 저택이다. 스페인의 유명한 건물들에서 이슬람 문화와 기독교 문화가 혼재된 모습을 볼 수 있다. 필라토스의 저택 역시 19세기 중반 무데하르-고딕, 르네상스, 로맨틱 등 다양한 양식이 혼합된 건물로 개조되었다.

저택 안으로 들어가면 분수와 조각상, 안뜰, 화려한 문양으로 장식된 회랑과 천장 등을 감상할 수 있다.

- Open_ 11~3월 09:00~18:00, 4~10월 09:00~19:00
- 요금_ €9(1층만 €7)
- 위치_ 대성당에서 도보 20분
- 홈페이지_ www.tundacionmedinaceli.org/monumentos/pilatos

마카레나 성당

필라토스의 저택에서 걸어서 5분 정도 가면 '눈물을 흘리는 성모'로 유명한 마카레나 성당이 나온다. 희망의 성모la Virgen de la Esperanza에게 봉헌된 성당으로 1941년 신바로크 양식으로 지어졌다. 성당 안에는 박물관, 보물실, 기념품 가게 등이 있다.

- **Open_** 09:00~14:00, 17:00~21:00
- **요금_** 무료
- **위치_** 대성당에서 도보 30분, 필라토스의 저택에서 도보 5분
- **홈페이지_** www.hermandaddelamacarena.es

플라멩코 타블라오 엘 아레날

1975년 문을 연 대형 타블라오 플라멩코 공연장이다. 유명 무용수 쿠로 베레즈CURRO VELEZ가 나오는 공연은 매일 밤 8시, 10시 2회에 걸쳐 열린다. 저녁이 포함되면 요금이 올라가니 미리 확인하자.

- **홈페이지_** www.tablaoelarenal.com

세비야 미술관

아르미스 광장에서 걸어서 5분 정도면 수도원을 개축해 19세기 중반에 문을 연 세비야 미술관을 볼 수 있다. 큰 규모는 아니지만 세비야의 대표 화가인 무리요^{Murillo}, 수르바란 Zurbarán 등의 작품을 전시하고 있다.

- ■ **Open_** 화~도요일 10:00~20:30(6~9월 초 09:00~15:30), 일, 공휴일 10:00~17:00
- ■ **Closed_** 월요일, 1/1, 5/1, 12/31
- ■ **요금_** €2.5
- ■ **홈페이지_** www.museosdeandalucia.es

Barcelona

바르셀로나

1992년 바르셀로나 올림픽은 바르셀로나를 세계적인 도시로 급성장시켰다. 유럽 대륙과 가깝다는 지리적 여건뿐 아니라 지중해성 기후로 겨울에도 날씨가 따뜻해 마드리드보다 더 많은 관광객이 찾는다.

오래되고 꼬불꼬불한 고딕 지구와 네모 반듯한 현대식 거리가 조화를 이루는 바르셀로나는 가우디의 작품들이 도시 전체에 퍼져 있어 예술적 느낌이 도시를 휘감는다.

BARCELONA

바르셀로나 IN

바르셀로나 역시 마드리드와 마찬가지로 직접 항공으로 들어가지 않으면 대부분 파리와 니스, 밀라노, 제네바 등에서 야간열차를 이용했지만 지금은 야간열차가 없어져 저가항공 부엘링을 타고 이동하는 경우가 많다.
바르셀로나에는 여러 개의 열차역이 있지만 산츠역Estación Sants이 중앙역 역할을 하고 있다. 산츠역 도착 전에 빠세오 데 그라시아Paseo de Gracia에 정차하는데 산츠역인 줄 알고 내리는 사람이 많으니 주의하자. 산츠역 주변에는 가격이 저렴하고 시설이 좋은 호텔과 아파트, 다양한 편의시설이 있어 여행자들이 이용하기에 편리하다.

공항에서 바르셀로나 시내 IN

공항은 서남쪽 바닷가에 있는데 시내와 그리 멀지 않다. 교통편은 철도 R2노선을 이용해 산츠역까지 바로 연결된다. 산츠역에서 공항 쪽으로는 05:43부터 22:16까지, 공항에서 산츠역 쪽으로는 06:13부터 23:40까지 운행되고 있다.

공항에서 산츠역까지는 약 20분 정도, 바르셀로나 한복판의 카탈루냐 광장까지는 23분이 소요된다. 공항 철도역은 터미널 A와 B 사이에 육교로 연결되어 있다. 바르셀로나 공항에서 스페인 광장, 카탈루냐 광장까지 공항버스Aerobus가 운행 중이며, 약 30분 정도 소요된다.(편도 €6.65)

산츠역

바르셀로나 대부분의 열차가 들어오고 나가는 현대적인 건물로 은행, 약국, 코인로커, 레스토랑, 슈퍼마켓, 여행 안내소, 화장실 등의 각종 편의시설이 있어서 매우 편리하다. 산츠역은 지상 1층, 지하 1층의 시설을 갖추고 있으며, 모든 열차의 플랫폼은 지하층에 위치해 있다. 열차에서 내리면 에스컬레이터를 이용해 1층으로 올라간다.

지하철인 메트로는 시내 곳곳으로 가기 편하게 연결되어 있다. 숙소로 이동하기 전, 역 곳곳에 있는 식당에서 아침식사를 해결할 수 있다. 역에서 나와 오른쪽 길 건너에 슈퍼마켓 ESCLAT가 있다.

시내 교통

지하철

바르셀로나의 지하철은 11개 노선으로 복잡하다. 대부분은 관광지와 편리하게 연결된

다. 1회권과 10회권, 2일권, 3일권 등으로 나눠져 있고, 관광객 대부분은 10회권을 버스와 같이 이용한다.

10회권은 T-10이라고 적혀 있다. 사용할 때마다 사용 시간이 찍히며 한 번만 75분 이내에 갈아탈 수 있다. 모든 티켓은 자동발매기에서 구입하는데 영어로도 설명되어 있어 쉽게 사용할 수 있다. 자동발매기에 적힌 안내에 따라 티켓 종류를 잘 선택하면 된다.

▶요금
- 1회권 : Single €2
- 10회권 : T-10 €10.25
- 1일권 : T-Dia €7.95
- 2일권 : 2 Dies €13.80
- 3일권 : 3 Dies €19.50
- 홈페이지 : www.tmb.cat

▶지하철 운행 시간
- 월~목요일 : 05:00~23:00, L-2, 3, 5는 05:00~24:00
- 금, 토, 공휴일 전날 : 05:00~02:00
- 일요일 : 06:00~24:00

버스

티켓은 버스 안에서 운전기사에게 구입해도 된다. 10회권(T-10)을 샀다면 버스 안에 있는 펀칭기에 넣으면 사용 횟수가 자동 차감된다. 구엘 공원과 몬주익 언덕을 갈 때 주로 이용한다.

푸니쿨라(Funicular)

지하철 파랄 렐Palal-lel역에서 몬주익 언덕까지 운행하는 등반열차로 지하철과 비슷하지만 승강장이 계단식으로 되어 있다.
▶운행시간 : 09:00~20:00
　　　　　　(10분 간격)

택시

다른 도시에 비해서는 비싸지 않지만 많이 막히는 시내에서는 되도록 이용하지 않는 것이 좋다. 기본요금은 1.9유로이며 1㎞마다 0.88유로씩 올라간다. 공항에서 탑승해 시내까지는 약 15~25유로 정도 나온다. 심야와 주말, 공휴일에는 할증요금이 적용되니 조심하자.

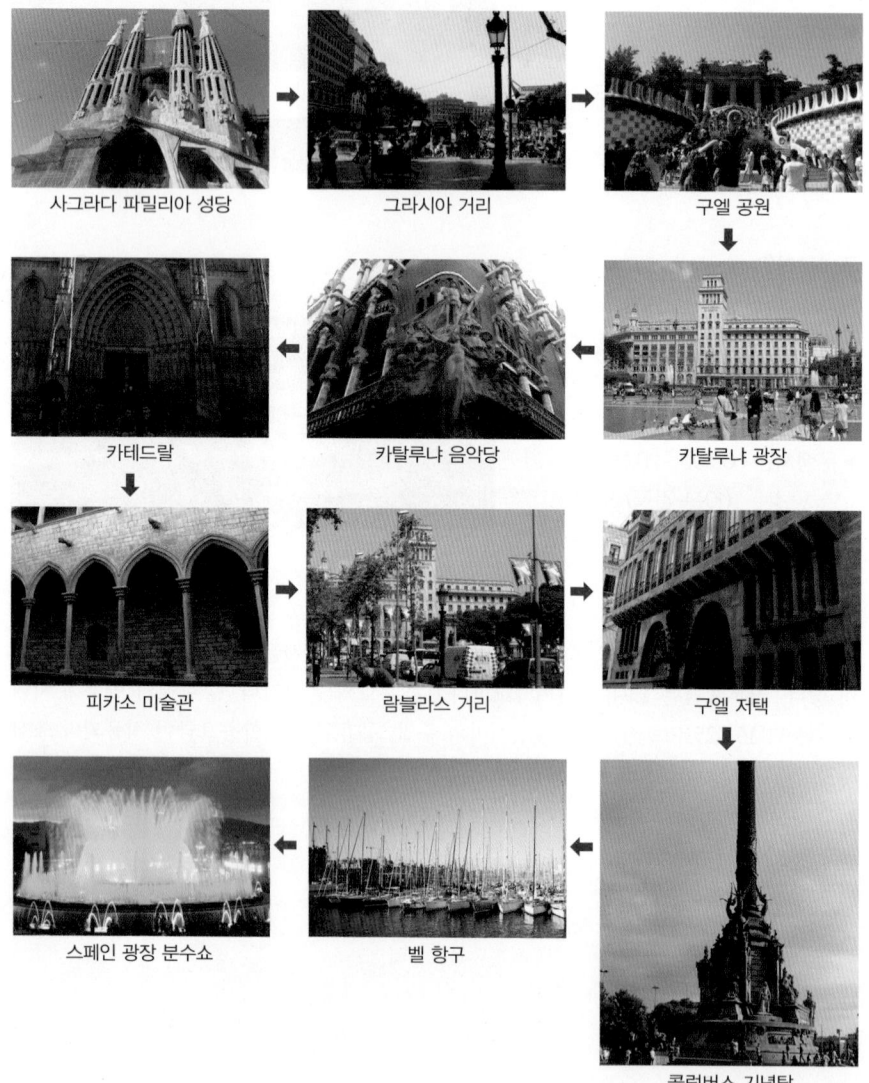

사그라다 파밀리아 성당

그라시아 거리

구엘 공원

카테드랄

카탈루냐 음악당

카탈루냐 광장

피카소 미술관

람블라스 거리

구엘 저택

스페인 광장 분수쇼

벨 항구

콜럼버스 기념탑

바로셀로나는 관광의 중심지인 카탈루냐 광장에서 항구까지 길게 뻗은 람블라스 거리를 중심으로 한 고딕 지구가 바둑판처럼 펼쳐져 있다. 핵심 관광지는 람블라스 거리와 고딕 지구에 몰려 있다. 대부분의 관광객은 20세기 천재 건축가 안토니오 가우디의 열정과 예술혼이 담긴 건축물을 만나기 위해서 바로셀로나를 찾는다. 이 때문에 가우디 투어가 만들어졌을 정도다. 가우디 투어를 신청하여 돌아봐도 좋지만, 천천히 가우디의 작품을 중심으로 시내를 둘러보는 일정을 추천한다. 가장 멀리 떨어져 있는 구엘 공원을 시작으로 둘러보자.

일정(가우디 건축물 중심)
구엘 공원 → 사그라다 파말리아 성당 → 카사 밀라, 카사 바트요 → 카탈루냐 광장 → 람블라스 거리 → 스페인 광장

구엘 공원은 가우디의 독창적인 건축양식의 정수를 맛볼 수 있는 곳이다. 바르셀로나 시내 언덕 위에 있어 입구부터 둘러보면 1시간 정도 걸린다. 가우디의 후원자였던 구엘이 동경하던 영국의 전원도시를 꿈꾸며 가우디의 설계에 맞춰 계획된 공동 주택지였다. 자금 문제로 계획은 중단되었지만, 자연과 조화된 가우디의 특징과 예술성을 잘 보여준다. 느긋하게 걸으면서 동화 속 공원 같은 구엘 공원을 여유롭게 감상할 것을 추천한다.

구엘 공원에 이어 가우디의 평생 역작이라 할 수 있는 사그라다 파밀리아 성당으로 발걸음을 옮겨보자. 사그라다 파밀리아 성당은 멀리서 보면 옥수수 모양의 종탑 12개가 하늘을 향해 높이 솟아 있다. 12개의 종탑은 예수의 12제자를 상징한다. 성당 지하에 가우디의 유해가 모셔져 있고, 성당 건축의 역사를 기록한 자료가 전시된 박물관이 있다. 아직 미완성의 상태지만 가우디는 사그라다 파밀리아 성당을 완성하기 위해 다른 작품을 거절하고 오직 이곳에만 매달리다 초라한 행색으로 죽음을 맞이했다. 이후 다른 건축가들에 의해 성당 건축 작업이 계속되고 있다.

카사밀라와 카사바트요는 서로 가까이에 위치하고 있다. 카사밀라는 가우디의 설계로 5년에 걸쳐 지어졌다. 곡선미를 강조하여 마치 파도가 치는 듯한 모습을 하고 있으며, 석회암으로 지어진 하얀색 건물이다. 카사바트요는 동화적인 요소가 많은 재미있는 건축물이다. 특히 다양한 색상의 타일로 모자이크를 하듯 치장한 건물 벽과 기이한 모습을 한 테라스가 인상 깊다.

이렇게 가우디 건축물을 중심으로 둘러본 후 바르셀로나 시내에서 가장 활기찬 카탈루냐 광장에서 잠시 쉬었다가 콜럼버스 기념탑이 있는 항구까지 둘러보면 시내를 거의 다 볼 수 있다. 특히 여름이면 스페인 광장에서 펼쳐지는 레이저 분수쇼가 환상적이다. 분수쇼는 밤 10시부터 시작된다.(목~일요일, 22~23시)

주요 볼거리
spectacle

카탈루냐 광장

L-1, 3, 5, 국철 카탈루냐^{Catalunya}역에서 내려 계단을 올라오면 카탈루냐 광장을 만나게
된다. 람블라스 거리가 시작되는 중심가이며 분수가 있는 넓은 광장으로, 비둘기가 상당
히 많다. 이 광장을 중심으로 북쪽으로는 그라시아 대로를 따라 신도시가 펼쳐지며, 남
쪽으로는 그라시아 대로와 일직선으로 람블라스 거리와 그 옆에 고딕 지구가 있다.
광장 주변에는 은행, 사무실, 상가와 백화점 등이 있어 우리나라의 명동을 연상시킨다.
카탈루냐 광장에서는 거리 공연이 자주 이어지고, 광장 한쪽의 작은 공원 주변에서는
낮잠을 자는 사람들의 모습 등 자유로운 분위기의 바르셀로나를 만날 수 있다.

고딕 지구

구시가 지역은 람블라스 거리를 사이에
두고 양옆에 펼쳐져 있다. 옛날엔 성벽
안에 존재하였던 곳으로 700년 전의 고
딕 시대 건물들에 둘러싸여 여전히 시간
이 정지된 것 같은 느낌을 준다.

고딕 지구에는 대성당을 비롯하여 역사
적인 고딕양식의 건축물들과 갤러리 등
이 있으며, 다양한 볼거리와 쇼핑, 먹거
리 등을 여행자에게 제공한다. 이곳의 좁
은 골목들 사이를 걷다 보면 중세의 스페
인 분위기를 느낄 수 있다. 고딕 지구의
좁은 길들은 람블라스 거리와 묘한 대조
를 이룬다.

카테드랄(대성당)

고딕 지구의 대표적 건축물인 대성당은 1298년에 건축을 시작하여 대부분이 1454년에 완성되었으나 현관 장식이 완성된 것은 1892년의 일이다. 오랜 역사만큼 바르셀로나 시민들의 정신적 안식처로 자리하고 있다.

산타 루치아 예배당Capilla de Santa Lucia 쪽의 뜰에 고딕양식의 회랑으로 연결되어 있고, 회랑 주위에 박물관 살라 카피튤라Sala Capitular가, 지하에는 바르셀로나의 수호성녀 산타 에우랄리아의 묘가 있다. 성당 앞 광장에서 간간히 오래된 성당물품이나 투우사의 옷 등을 파는 골동품 시장이 열리며, 일요일에는 카탈루냐 지방의 전통춤인 '사르다나'를 추기도 한다.

- **Open_** 평일 08:00~12:45, 17:15~19:30
  일, 공휴일 08:00~13:45, 17:15~20:00
- **요금_** 일반 €6(13:00~17:00까지 유료, 그 외 무료)
- **교통_** L-4 Jaume I

피카소 미술관

고딕 지구에 자리한 피카소 미술관에는 파리에서 본격적으로 화가로서 인정받고 활동하기 전, 13세~24세까지 바르셀로나에서 생활한 피카소의 어린 시절의 데생과 습작 등이 있다. "난 이미 12살 때 라파엘로처럼 그렸다"고 말한 피카소의 천재성을 새삼 확인할 수 있다.

어린 시절의 습작과 함께 청색시대라고 불리는 청년기의 그림들과 벨라스케스의 〈라스 메니나스〉를 재해석한 연작, 만년의 입체파 작품 등 3천여 점이 전시되어 있다. 피카소의 작품들은 세계 곳곳에 산재해 있어서인지 정작 이곳에는 우리에게 잘 알려진 유명한 작품들은 생각보다 적다.

- **Open_** 화요일~일요일 10:00~20:00
- **Closed_** 월요일, 1/1, 5/1, 6/24, 12/25~26
- **요금_** 일반 €11, 학생 €8
- **교통_** L-4 jaume, L-1 Ace de triomf, L-3 Liceu
- **홈페이지_** www.museupicasso.bcn.es

람블라스 거리

카탈루냐 광장에서 콜럼버스 기념탑까지 이르는 바르셀로나의 중심 거리로 차량이 통제된 보행자 전용거리다. 플라타너스 가로수를 양옆으로 두고 돌이 깔린 거리를 따라 거리의 악사들과 무용수, 가짜 돈키호테 등과 꽃가게, 신문 가판대 들이 줄지어 있다. 또한 거리 양옆으로 다양한 레스토랑을 비롯하여 숙박시설, 선물가게와 부티크, 극장들이 즐비하다. 각양각색의 사람들과 주변의 진기한 풍경을 즐기면서 한가로이 거리를 따라 항구까지 내려가면 바르셀로나의 매력에 흠뻑 빠져든다.

람블라스 거리에 행위 예술가를 흉내내며 서 있는 인간 동상들의 사진을 찍으려면 모델료를 준비해야 한다. 사진을 찍으면 동업자가 나타나 모델료를 달라고 한다.

람블라스 거리를 걷다 보면 바르셀로나 최대의 전통시장인 보케리아 시장Mercat de la Boqueria을 만나게 된다. 형형색색의 싱싱한 과일과 채소, 해산물 등이 여행자를 유혹한다. 보케리아 시장은 오전 8시부터 오후 8시 30분 정도까지 영업한다. 문 닫는 시간은 상점마다 다를 수 있으며, 일요일은 쉬는 날이니 방문할 때 참고하자.

사그라다 파밀리아 성당

바르셀로나를 대표하는 건축물로 지금도 마지막 작업을 하고 있는 미완성된 성당이다. 하늘로 솟은 옥수수 모양의 사그라다 파밀리아 성당은 바르셀로나의 상징이다. 1882년 안토니오 가우디에 의해 설계되었으나 생전에 완성된 모습을 보지 못했고, 제자들과 다른 건축가들이 지금도 작업을 계속하고 있다. 완성되면 18개의 탑이 세워지는데 현재의 공사 진행 상태라면 2025년 정도에 완성된다고 한다.

12개의 종탑은 12사도를 상징하며 4개의 돔은 4인의 복음성인인 마태오, 마르코, 루가, 요한을 상징한다. 그리고 중앙의 돔은 예수 그리스도를 상징하며 성모마리아를 상징하는 돔과 연결되어 있다. 네오고딕양식으로 시작했던 이 성당은 자연주의와 아라비아 스타일이 가미되면서 초현실주의의 특이한 형태를 띠게 되었다.

400여 개의 계단을 밟고 탑을 올라가면 멀리 지중해까지 내다 보이는 시원한 전경을 즐길 수 있다. 지하 묘소에는 가우디의 유해가 안치되어 있고, 지하 박물관에는 이 건물의 착공 과정을 기록한 사진과 모형 등이 전시되어 있다. 입장료는 완공을 위한 기부금 형태로 사용된다.

구엘 공원

가우디의 대표작 중 하나로 손꼽히는 구엘 공원은 가우디의 후원자였던 구엘Eusebi Güell Bacigalupi과 가우디가 함께 계획한 도시 재개발사업의 일환으로 만들어진 것이다. 처음 엔 도시 전체가 내려다보이는 곳에 60세대가 살 수 있는 공동 주택을 지으려 했으나 계 획이 무산되면서 가우디가 설계한 2채의 집만 지어졌다. 공원 정면의 도마뱀 모양의 분

■ **Open_** 4~9월 10:00~19:45, 10~3월 10:00~17:45
　　　　　　12/25~26, 1/6 10:00~14:00
■ **Closed_** 1/1
■ **요금_** 일반 €7.50, ISIC카드 할인 €5.50
　　　　　사그라다 파밀리아 성당과 통합 입장권 €16.50
■ **교통_** L-3 Lesseps, 버스 24, 92 carretera del carmel entrance
■ **홈페이지_** www.casamuseugaudi.org

수를 비롯해 광장의 천정과 벤치까지 모두 가우디가 일일이 색깔과 모양을 염두에 두고
구워 붙인 조각 타일로 아름답게 장식되어 있다. 공원 전체가 가우디의 세세한 손길을
거쳤다고 보면 된다. 구엘공원은 1984년 유네스코에 의해 세계의 중요 유적지로 선정
되었다. 공원 안에는 가우디가 1906년~1926년 사이에 거주했던 집이 있는데, 지금은
가우디의 유품과 그가 디자인한 가구들과 스케치 작품들이 남아 있다.

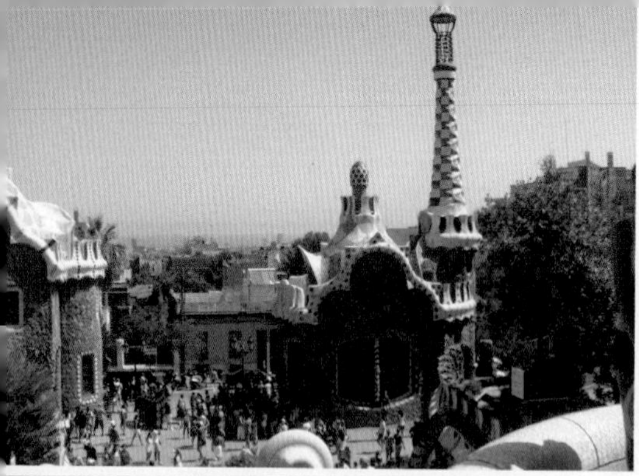
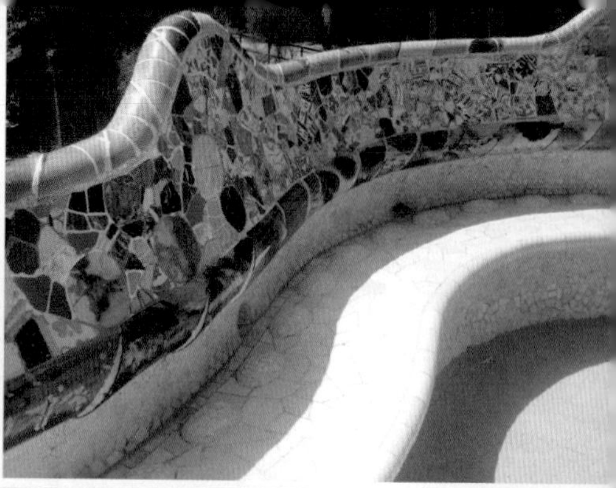
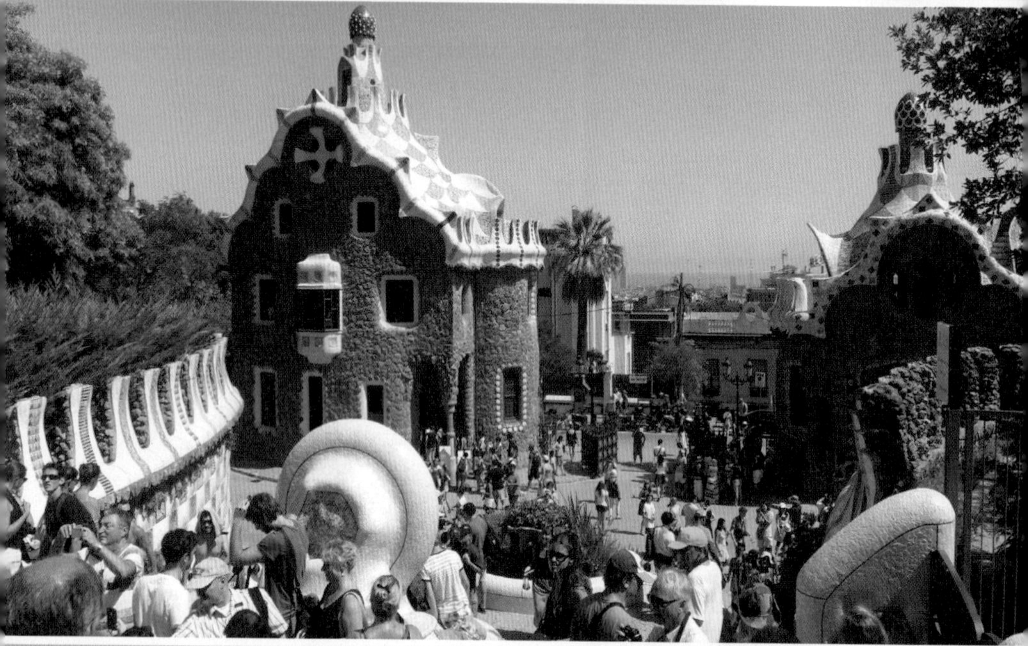
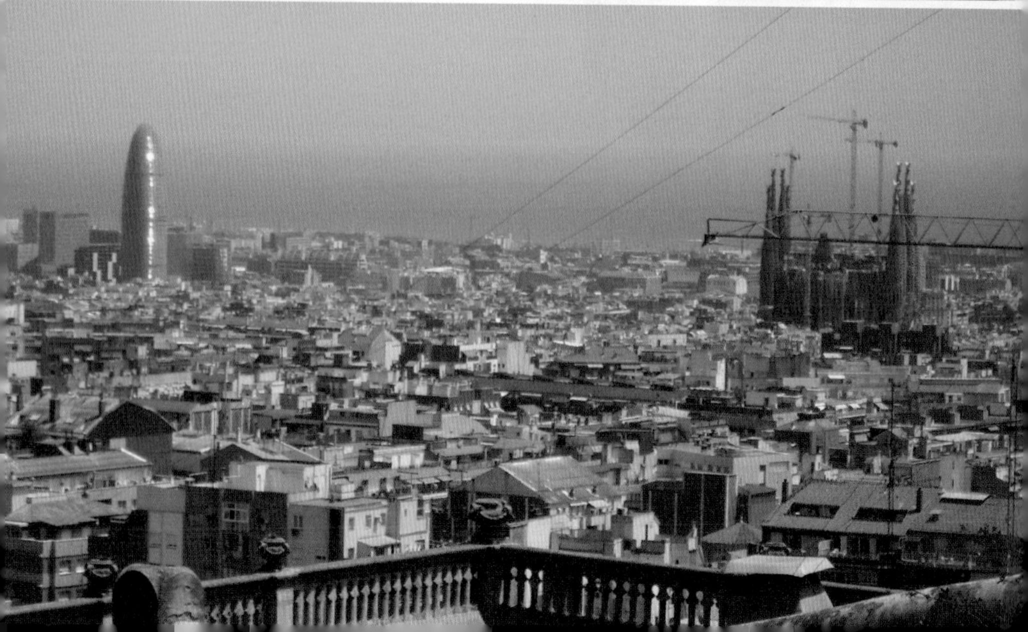

카사밀라

산을 주제로 디자인한 카사밀라 Casa Mila(1905~1910)는 석회암과 철을 이용했지만 부드러운 곡선이 매우 아름답다. 아파트로 1910년에 완성된 카사밀라를 1984년 유네스코가 세계문화유산으로 지정했다. 물 흐르는 듯 유연한 곡선의 건물은 지금 보아도 너무나도 독창적인 모습인데, 기능적인 측면과 자연적인 형태가 서로 조화를 이루고 있다. 가우디는 일일이 세공한 철과 부서진 대리석을 이용하여 4개의 나선형 기둥을 만들었고, 내부는 배치의 자유로움을 위하여 벽을 최소화한 유선형 모양으로 되어 있다. 베란다의 철제 장식이 특히 아름답다. 가우디 모더니즘 건축의 최고로 꼽히는 카사밀라의 1층은 기념품을 파는 가게가 있어 카사밀라를 들어가지 않아도 들르는 장소이다. 많은 관광객이 다양한 기념품을 사 돌아가는데, 가우디의 모습이 담긴 스케치 노트가 추천할 만하다.

- **Open_** 09:00~20:00
- **요금_** 일반 €12, 학생 €8
- **교통_** L-3, 5 Diagonal

카사바트요

1905~1907년에 가우디가 전면 개축한 건물로 마치 동화 속에 나올 것만 같은 요술의 집 모양을 하고 있다. 지붕은 용의 이미지를 하고 있으며, 건물 전체는 바다를 테마로 한 것이라고 한다. 테라스 모양이 특이하며 건물의 녹색, 청색의 타일이 아름답다.

모험의 길로 당신도 들어오세요.

#트래블 TRAVEL

스페인 왕의 오솔길

초판 1쇄 인쇄 I 2018년 3월 20일
초판 1쇄 발행 I 2018년 3월 20일

글·사진 I 조대현
펴낸이 I 조대현
펴낸곳 I #해시태그출판사
편집 · 교정 I 박수미
디자인 I 서희정

주소 I 서울시 도봉구 헤등로 26(쌍문동)
전화 I 02-493-9122
이메일 I mlove9@naver.com

ISBN 979-11-962678-1-0 (03910)

※ 일러두기 : 본 도서의 지명은 현지인의 발음에 의거하여 표기하였습니다.